MW00585326

ORÁCULOS

EN EL PALO CONGO MAYOMBE

Mpaka; Cocos; Caracoles y Huesos

Ralph Alpizar

Portada: oráculo kituka-kitudi. Cabildo Nuevo Maiombe©

DISTRIBUCIÓN:

Amazon.com Services LLC

ISBN: 978-84-615-4146-1

A todos los miembros del Cabildo Nuevo Maiombe quienes de una forma u otra y en mayor o menor medido colaboran en mantener una tradición centenaria que nos legaron nuestros ancestros.

¡No hay mas ngando que Batalla!

Aspectos diferenciales de la adivinación

Para los mayomberos, el universo o "Nfinda" es objeto de gran interés, tal como he afirmado en otras publicaciones, la "Nfinda" (trad. Monte) equivale a todo lo existente ya sea de naturaleza visible o invisible. No obstante, lo verdaderamente importante en este caso, es que los mayomberos no conciben la "Nfinda" como un mundo fijo, frío y mudo; sino que por el contrario, está concebida como un mundo en continuo movimiento vital cargado de significaciones, y portador de mensajes, es decir, "habla", por lo cual la Regla de Palo Monte en su doctrina considera la

"Nfinda" como una Entidad "dotada" de "Personalidad-Mágica" polifacética al poseer nombre, historia y función.

En la "Nfinda" todo lo existente tiene una "historia" un "nombre" y una "utilidad o función" aunque desconozcamos una o varias de estas características son requisitos imprescindibles para poseer Personalidad-Mágica, rasgo que facilita que el mayombero pueda emprender mediante el rito adivinatorio una comunicación bidireccional con cualquier Ente que habite dentro de la "Nfinda" o con la "Nfinda" misma.

Esta condición inherente de todo lo visible e invisible que habita en la "Nfinda" se vincula en una especie de *"Vida Participada"* que a mi modo de entender es un ciclo continuo e inagotable de relación entre los Seres visibles e invisibles, ambos impregnados de "espiritualidad", existencia dual, sinergia y vida que sostienen y resume la "Personalidad-Mágica" y el Principio de manipulación de la Fuerza que apuntalar el mayombe como religión. El mayombero, quien es el que en definitiva le otorga la "potestad" y es capar de manipular con sus artes de hechicera la "Nfinda" puede entablar un dialogo con el Mundo-Invisible, mediante la utilización de elementos visibles "capacitados" para este fin, como pueden ser, caracoles, huesos, piedras y un sinfín de objetos rituales que abarcan un universo prácticamente incontable.

En el Palo Monte Mayombe, la persona que ejerce la adivinación, esto es, el adivino, recibe indistintamente los siguientes nombres: "Súdika-mámbi", "kindamba-kuseka", "kusambulero", "nganga-ngombo" o "nganga-mpiata", términos todos que deben traducirse como "el adivino". No obstante, en el caso de "nganga-ngombo" y de "nganga-mpiata", pueden tener otra acepción: "médium de trance"; es decir, la persona que cae "poseído" por los espíritus.

En este contexto, "intérprete" o "adivino" es aquel que posee el código que le permite descifrar las diversas y continuas informaciones o mensajes que la "Nfinda" dirige al ser humano, a la sociedad en que vive, y a todo cuanto se encuentra relacionado con su suerte; mientras que los diversos y muy diferentes sistemas de adivinación que serán aquí analizados, cumplen la función de pautas de decodificación.

A través de las visitas efectuadas a los "nsó-nganga", he podido apreciarse el hecho de que aquellos mayomberos que ejercen la adivinación son considerados como "representantes", "instrumentos" o "puentes" entre los espíritus y los practicantes. Tengo que aclarar que antiguamente en los cultos afrocubanos al igual que en sus originarios africanos, las funciones de adivino, curandero y hechicero se encontraban delimitadas y con finalidades muy concretas, se correspondían a tres tipos de sacerdocios distintos, mas sin embargo en la actualidad ni aun lado ni a otro del atlántico esto sucede así, y el nganga-nkisi africano como el mayombero, su homologo isleño, aúnan todas las funciones sin una clara división entre ellas y más bien se observa que es ya una práctica generalizada, sin detrimento de mayomberos en el caso de los cubanos que se especializan mas en lo que se denomina "hechicería" que en la parte curativa del sacerdocio que ha sido prácticamente desplazada de esta religión por la medicina moderna.

Para que el mayombero pueda ejercer la adivinación, deberá de adquirir previamente una iniciación y un duro aprendizaje. Generalmente, cuando alguien posee cualidades para la adivinación (en congo, "ténda matenda tendela") es conducida a un "nsó-nganga" para que el "taita-nganga" o la "mama-nganga" le presente ante la "nganga". Puesto de rodillas ante la "nganga", el "taita" o la "yaya" le preguntará a la "nganga" si dicho individuo tiene en su "camino" (destino) el ser algún día mayombero; y si la respuesta es afirmativa, dicha persona será "rayada" en el plazo que estipule la "nganga" y recibirá una rápida iniciación en los sistemas adivinatorios practicados por los mayomberos.

En la Regla de Osha, el "babalosha" y la "iyalosha" llevan a la persona ante su santo u "orisha" tutelar y le pregunta si dicha persona está destinada a ser "babalosha" o "iyalosha" (sacerdote o sacerdotisa). En el caso de que sea hombre, pasará el ritual iniciático llamado "asiento del santo" o "coronación del santo" para convertirse en "babalosha"; luego, si es su destino, pasará un nuevo ritual iniciático por el que se convierte en "babalawo" o sacerdote de Orúnla (el "Orisha Adivino") para ejercer la adivinación mediante el llamado "tablero de Ifá" y una cadena sagrada que lanza sobre dicho tablero llamada "oppéle". El "babalawo" es un sacerdote cuya función primordial es la de ejercer la adivinación, y todos los "babalawos" forman una clase sacerdotal aparte de los "babaloshas" y las "iyaloshas", aunque dentro de la Regla de Osha.

Por otra parte, no todos los "babaloshas" que tienen facultades adivinatorias pueden llegar a ser "babalawos"; es más, muchos "babaloshas" ejercen la adivinación sin llegar jamás a ser "babalawos", para lo cual, utilizan como materiales adivinatorios: los cauris ("diloggún" en lucumí) y los cocos ("obbí",en lucumí).

En cuanto a los mayomberos, a diferencia de la Regla de Osha, no disponen de un status específico de sacerdote adivino, como en el caso del "babalawo". Cualquier mayombero que conozca los sistemas adivinatorios del Palo Monte Mayombe, podrá ejercer como adivino.

En el Palo Monte Mayombe, las actividades adivinatorias pueden dividirse en dos grupos o campos muy bien definidos:

> A) Las prácticas adivinatorias basadas esencialmente en un proceso intelectual de captación de las relaciones de las cosas.
>
> B) Las prácticas adivinatorias que están desprovistas de la participación intelectual del individuo, ya que el individuo desempeña fundamentalmente la función de médium o "instrumento" de los espíritus en sus manifestaciones.

Aquellos mayomberos adivinos que practican la primera fórmula son "intérpretes": juzgan y determinan la conjunción de los significantes y los significados en relación con el tema de la adivinación. A esta fórmula se le llamará "acción activa" en este estudio, ya que el mayombero ejerce una "acción activa" en su ejercicio adivinatorio.

En cuanto a los mayomberos adivinos que emplean la segunda fórmula, son meros "transmisores"; es decir, no "tocan" prácticamente el mensaje ni extraen ninguna significación del mismo. Para ellos, la relación de los términos de la conjunción no es significativa. Por ello, a esta segunda fórmula de adivinación se le ha aplicado el nombre de "principio pasivo". Conviene señalar que en el Palo Monte Mayombe es muy frecuente el que ambos principios se den en un mismo individuo: "activo" y "pasivo". Esto se ve claramente relajado en el momento en el que el "taita-nganga" o la "mama-nganga" son "poseídos" por los espíritus; y cuando esto ocurre, el "mayordomo" o la "madrina-nganga" ocupaban su lugar durante el tiempo que durara la "posesión" o trance mediúmnico.

En el caso de que el mayombero sea médium o "transmisor" a través del cual se manifiesta el "perro-nganga", recibe entonces diversos nombres: "ngombe", "ngombe-nganga", "nkomo" o "caballo", "yímbi", "ntu-nfumbe", "vasallo", "vasallo de nganga", o "criado-prenda".

Los oráculos llaman a los espíritus

Necesitamos entender en el contexto actual del mayombe como se establecen las relaciones por una parte física a través de los objetos empleados para el proceso adivinatorio y por otra emocional mediante la experiencia acumulada del mayombero a lo largo de años en su relación con el oráculo. El mayombero adquiere en su dialogo místico mediante el empleo del oráculo un vinculo único e intransferible con las deidades-espíritus, antepasados o Entes de la "Nfinda", a quienes acude a "consulta" para solicitar consejo en los problemas cotidianos de la vida. Pare este propósito debemos comprender como era percibido el adivino tradicional por el africano que llego a Cuba y trajo consigo sus creencias, usos y costumbres.

Para tal finalidad basta detallar el proceso de un adivino africano al interpelar el oráculo y comprenderemos de inmediato las escasas variaciones que existen entre los sistemas afrocubanos actuales y el africano milenario. Tomamos como referencia los textos de Klaus E. Müller y Ute Ritz-Müller los cuales exponen:

"Nosotros acudimos a un adivino cuando tenemos miedo por algo y no sabemos cómo actuar", de esta forma explican los lobi sus visitas frecuentes al adivino. Los thila son los "espíritus ayudantes" mientras que los nankanse confían más en los antepasados, sobre todo en los adivinos ya fallecidos. Se cree que ambas entidades están presentes en las sesiones de adivinación.

Entre el equipo básico de un adivino nankanse cabe citar una maraca de calabaza, un palo en horquilla con un extremo de hierro y una bolsa de cuero en la que hay una colección de objetos. Estos son artículos en parte encontrados, en parte fabricados (como conchas cauri, huesos y dientes de animales, monedas, anillos, aros, todos ellos objetos del mundo de los nankanse) y sirven al adivino como una especie de sistema de coordinación, marco de referencia o código para sus interpretaciones.

Cada sesión de adivinación sigue una pauta prevista, un diálogo teatral, acompañado de gestos vivaces. El cliente entra en casa del adivino y paga un importe que a su criterio es justo, y que el brujo debe aceptar, por muy pequeño que sea. A continuación se sienta sobre un banco y el cliente adopta una posición de respeto, sentado sobre el suelo con las piernas cruzadas, delante del adivino. Éste golpea entonces con la mano derecha la bolsa de cuero y con la izquierda sacude la maraca de forma rítmica para llamar a los antepasados de adivinos anteriores. Luego vacía el saco y añade al contenido dos piedras para golpear o dos trozos de hierro. Agitando las maracas invita a los antepasados a hacer acto de presencia. Por último coge dos "piedras de toque" planas, escupe, presiona entre sí ambas superficies humedecidas y lanza la piedra con fuerza sobre el suelo.

Cualquier adulto nankanse sabe explicar el resultado. Hay tres posibilidades: si ambas piedras caen con la parte seca hacia arriba, se habla de "rechazo"; cuando los lados húmedos quedan hacia arriba, de "risa"; y cuando sale uno seco y uno húmedo, de "aceptación". En el primer caso, los antepasados no aparecen. En el segundo, no se pronuncian, es decir, no explican si el cliente tiene motivos para alegrarse o no; en definitiva, se ríen de él de una forma maliciosa. Sólo en el tercer caso se pronuncian sin ningún tipo de reserva.

Antes de que tenga lugar la verdadera pregunta, es preciso contar con dos tiradas de éxito. Sólo entonces coge el adivino su palo bifurcado en una mano, mientras con la otra sigue agitando la maraca mientras exhorta a los antepasados hacer "presente su espíritu". Golpeando una vez aquí, otra allá, el palo de adivinación va tocando los distintos objetos desplegados delante suyo y que procedían del saco para establecer su diagnóstico. Según la gravedad del caso, el dictamen puede requerir uno, dos o incluso cinco o diez minutos. Tan pronto como el adivino golpea una de las dos piedras, el cliente agarra el extremo inferior del palo de adivinación. Copia el procedimiento del adivino, hace oscilar el palo hacia adelante o hacia atrás, y va señalando uno u otro objeto, en distintas direcciones y determinadas partes del cuerpo. Cada uno de los objetos mostrados tiene un significado preciso y está relacionado con una determinada idea: los cuernos de animal se refieren a un templo de los antepasados; las conchas cauri pueden significar riqueza o dinero; y las pezuñas de cabra u oveja, o las garras de gallina pueden indicar un sacrificio.

Lo mismo podría decirse de los distintos gestos: si el palo señala el vientre, anuncia un embarazo pasado o se refiere a un niño vivo; si se desplaza hacia un costado del cuerpo, se alude a los parientes políticos; si roza la cintura, se trata de dinero o posesiones. La tarea del adivino consiste en traducir el significado general de estos indicios a la situación concreta del cliente. Procede con suma prudencia y comprueba cada paso con sus piedras para lanzar.

Formula sus preguntas de forma alternativa, es decir, cada una de las posibilidades se relaciona con las piedras planas. Si la respuesta es correcta, el palo se desplaza hacia la piedra correspondiente. Si una pregunta no describe el núcleo del problema, el palo permanece oscilante en el aire. Por ejemplo, puede producirse un diálogo de este tipo, referente a una mujer. ¿Está viva o ya está muerta? -Respuesta: "muerta". ¿Se trata de una madre o de una soltera? -Respuesta: "madre". ¿La propia madre o la madre de otro? —Sin respuesta. ¿Se trata de la madre de mi madre? -Respuesta positiva. ¿Qué pasa entonces? -El palo oscila y muestra la pezuña de una oveja. ¿Se trata de una oveja? -Respuesta positiva. ¿Ha sido ya sacrificada esta oveja o debe aún serlo? -Respuesta: "debe ser sacrificada". ¿Por qué debe ser sacrificada? El palo señala el vientre. ¿Vive ya este niño o debe aún nacer? -Respuesta: "vive". ¿Se trata de mi hijo o del hijo de un hermano? Y así sucesivamente.

Cada resolución de un problema oculta de hecho otro y el adivino debe buscar el correcto de entre una variedad de posibilidades. Es frecuente que las preguntas se repitan varias veces y que se verifiquen las respuestas, procediendo para ello a plantear de otra forma la pregunta o volviendo al significado de las piedras. Tan pronto como se determina un resultado, el cliente coge la piedra de toque y le pide que testifique si es o no correcto. Para ello se la devuelve al adivino, que de nuevo procede a escupir sobre la piedra, y que la mantiene sobre la bolsa antes de lanzarla de nuevo. Si las piedras dan por respuesta "rechazo" o "risas", es señal de que aún quedan impedimentos. En ese caso, la consulta pasa a una segunda, tercera o incluso cuarta ronda, y se sigue "discutiendo" el problema hasta conseguir un resultado coincidente mediante las piedras para golpear y para lanzar. Los procesos de adivinación de los lobi siguen directrices similares. En este caso, el cliente y el adivino se sientan uno junto al otro y se cogen de la mano.

El proceso discurre de tal forma que el adivino plantea una tras otra toda una serie de preguntas a sus espíritus ayudantes, que pueden ser contestadas de forma afirmativa o positiva mediante palmadas en el muslo. Si ambas manos se encuentran para dar una palmada sobre el muslo del adivino, la respuesta es "sí"; por el contrario, si se desplazan hacia los lados, la respuesta es "no". El adivino comienza planteando preguntas de tipo general, por ejemplo, si alguien ha experimentado pesadillas, si ha tenido lugar un accidente o si alguien quiere ir de viaje. Si el proceso no sigue adelante, es decir, si no recibe información positiva, pasa a preguntar a los thila: "¿Qué es lo que no encuentro?" A continuación, las manos del adivino y del cliente pasan a trazar dibujos en el aire que acaban dando una serie de indicios concretos. Tanto los nankanse como los lobi basan sus tareas de adivinación en la regla de la inducción, como corresponde a su percepción y a la forma de su discurso. Su técnica oracular se basa en un código de armonía y concordancia; cualquier persona puede aprender y llegar a dominar el arte de la adivinación, al menos en teoría.

Respuestas para los que buscan consejo

Klaus E. Müller y Ute Ritz-Müller continúan en su disertación explicándonos los rasgos fundamentales del adivino africano:

> "Sólo quien pregunta no pierde el camino." En la vida es de suma importancia elegir el camino "correcto". El oráculo, como otras muchas formas de adivinación, es considerado de gran ayuda. La adivinación ha desempañado siempre, para todos los pueblos j en todas las épocas, un papel importante a la hora de resolver problemas; incluso en África no existe ninguna sociedad que no conozca como mínimo una de estas técnicas, que por lo general suelen ser varias.
>
> Un requisito básico para la adivinación es el convencimiento de que entre el hombre, el medio y el cosmos existe una relación estrecha, de forma que cualquier alteración en uno de estos campos produce

cambios visibles o detectables en los restantes. Estos impulsos pueden ser hechos que desatan enfermedades, o también preguntas dirigidas a los antepasados y a las divinidades, y de las que puede obtenerse una respuesta a través de unos determinados signos o indicios.

La adivinación ofrece ayuda en casos de incertidumbre, duda o indecisión. Sus técnicas y métodos son extraordinariamente variados; cada sociedad dispone de su propio "sistema de signos" o de incluso más, entre los cuales es posible que uno de ellos ocupe un rango especial (como ocurre con el Ifa de los yoruba). Algunos sistemas se han extendido por amplias zonas, y han sido adaptados poco a poco por los vecinos. Desde un punto de vista científico podríamos distinguir entre formas de adivinación "inductivas" ("artificiales" o "técnicas") y formas "intuitivas" o "naturales". Las primeras se basan en la observación de signos (omina), las últimas en la inspiración que pueden tener personas privilegiadas (por ejemplo, sacerdotes o médiums) en ciertas ocasiones.

El oráculo pertenece a los métodos de adivinación "experimentales-inductivos", y con él se espera obtener respuestas concretas a preguntas también precisas. Esto puede llevarse a cabo mediante formas mecánicas (por ejemplo, lanzando objetos) o bien por medios animales (en África occidental se prefieran los ratones y los zorros).

La adivinación no es ningún procedimiento mecánico, sino una especie de conversación intensa, mediata o inmediata con los antepasados, espíritus o dioses. Por lo general, el adivino conoce las tensiones y problemas de su comunidad, y con ello puede plantear las preguntas al oráculo. Durante la sesión pide al que busca consejo que hable sobre sus angustias, preocupaciones, miedos, sufrimientos o humillaciones.

A continuación le va nombrando caminos para liberarse de sus aprietos. En cualquier caso, él intenta siempre hacer hablar al cliente —con huesos, piedras, semillas u otros medios de la consulta al oráculo- de una forma algo parecida a cómo hacen los psicoterapeutas en las sociedades occidentales. Su tarea consiste en Una primera prueba de su capacidad es llegar a establecer un diagnóstico, identificar el problema y adivinar el motivo de la visita de su cliente y cuanto su(s) causa(s), y mostrar posibles soluciones más rápido lo logra, más confirma su reputación. Viables.

El ratón es un animal típico de los oráculos en África occidental debido a algunos parecidos con el hombre: también se alimenta de cereales, dispersa sus restos de comida y es además muy fecundo, un signo de bendición. Por este motivo es considerado muy propicio para las adivinaciones. Para ello se procede a interpretar sus huellas, o bien se lo coloca en una calabaza o marmita para comprobar a continuación de qué forma ha alterado el orden del contenido. Para provocarlo, el adivino kirdi toca un violín de una sola cuerda. (Fin de la citas)

Estas acertadas descripciones de las artes adivinatorias entre pueblos africanos expuestas por Klaus E. Müller y Ute Ritz-Müller, nos pone en contexto para entrar de fondo en los sistemas de adivinación del mayombe afrocubano y detallar con mas precisión el impacto de los principios activos y pasivos del mayombero que mencione al inicio del libro.

El principio activo

Los mayomberos que actúan como adivinos "intérpretes" son quienes establecen el oráculo; mientras que los mayomberos que actúan como adivinos "transmisores", lo revelan.

El mayombero que actúa como adivino "intérprete" o adivino "activo", siempre emplea algún material adivinatorio; es decir, objetos rituales que le permiten ejercer su intuición y sus facultades, y con la ayuda de éstos, establece el tema del augurio de acuerdo con las necesidades del individuo (o de la comunidad) que es objeto de su ejercicio adivinatorio.

La gama de estos materiales es extremadamente variada; no obstante, puede establecerse que cuatro son los principales materiales adivinatorios en el Palo Monte Mayombe:

1.- Los "chamalongo": las conchas marinas·

2.- Los "ndúngui", "sándu" o "kumulenga": los cocos.

3.- La "fula", "nfula", "tiotio-mputo" o "café inglés": pólvora.

4.- "Ménsu": el espejo mágico ("vititi-ménsu").

La gran cantidad de materiales susceptibles a ser empleados en la adivinación queda perfectamente reflejada en el siguiente comentario realizado por Pedro Madruga Agüero, "taita-nganga" de reconocido prestigio en Matanza: :

> "Mi "taita", Anselmo, era un fuera de serie... Recuerdo que "consultaba" (ejercía el oráculo) con todo lo que caía en sus manos: huesos, palos, cristales, chapas de cerveza o de refresco, piedras, botones, trozos de pan..., todo le servía para "consultar" en un momento dado si no tenía los "chamalongo" en ese momento..., y podías ponerle el cuño a todo lo que te dijera, pues acertaba en todo",

A pesar de que la gama de material susceptible a ser empleado en la adivinación es prácticamente innumerable, siempre existen reglas adivinatorias establecidas por la tradición que permiten observar un cierto hilo en medio de tanta diversidad, En un principio, es evidente que todo el material adivinatorio está íntimamente relacionado con la cultura, y que los mayomberos disponen de un material variado para la adivinación; no obstante, se ha podido observar el hecho de que emplean en sus prácticas adivinatorias cualquier objeto sustituible a falta de sus propios objetos rituales con los que ejercen la adivinación.

El principio pasivo

Los mayomberos que actúan como adivinos "transmisores" utilizan muy poca materia adivinatoria, y en ocasiones, absolutamente ninguna. Su actividad está esencialmente vinculada a formas de "posesión" mediúmnicas.

A través de las observaciones realizadas y de las informaciones ofrecidas por algunos mayomberos, puede establecerse que aquel mayombero que actúa como adivino "transmisor" se va capacitando paulatinamente en su labor de "intermediario" entre el mundo de los seres humanos y el mundo de los espíritus; y conforme esto ocurre, va abandonando los mismos objetos empleados en sus augurios para dar paso finalmente a la plena aportación de su persona, lo que bien podría llamarse "la entrega total".

La escasa materia adivinatoria que emplea el mayombero que actúa como adivino "transmisor" (cuando la emplea), suele ser:

1.- "Nsúnga": tabaco.

2.- "Mámba": agua.

3.- "Muínda" o "mpemba": vela.

En cuanto a las actividades pasivas del mayombero que actúa como adivino "transmisor", pueden agruparse en:

A) Actividades vinculadas a formas mediúmnicas en las que no tiene lugar la "posesión" mística o trance mediúmnico.

- Clarividencia (percepción visual). A dicha facultad los mayomberos la llaman: "tener vista".
- Clarividencia (percepción auditiva). Los mayomberos llaman a esta facultad: "tener oído".
- Mediumnidad mental (percepciones localizadas en la mente).
- Mediumnidad sensible (percepciones a través de los presentimientos).

B) Actividades vinculadas a formas mediúmnicas en las que interviene la "posesión" mística o trance mediúmnico.

El mayombero es "poseído" por un espíritu que utiliza su cuerpo para poder manifestarse y expresarse. En este caso, el espíritu a través del mayombero médium puede: hablar, moverse, bailar, cantar, realizar gestos simbólicos, romper maleficios, hacer maleficios, curar a los enfermos, dar buenos consejos, revelar secretos, predecir el futuro, u otras acciones.

C) Actividades que adquieren la significación de la "muerte" simbólica del mayombero "transmisor".

Esto ocurre cuando el mayombero no es "poseído" por ningún espíritu, sino que cae en un estado místico de trance profundo durante el cual su espíritu abandona su cuerpo y acude al encuentro de los espíritus, que a su vez le transmiten directamente los mensajes. Una vez que el espíritu del mayombero vuelve a introducirse en su cuerpo, vuelve en sí y puede comunicar todo cuanto le han transmitido los espíritus durante su "viaje" extracorporal.

D) Actividades oníricas.

También se cree que los espíritus pueden aprovechar el sueño del mayombero para transmitirle mensajes. Al despertar, el mayombero podrá informar sobre los mensajes que ha recibido de los espíritus a través del sueño.

Precauciones en la adivinación.

El mayombero que ejerce como adivino, debido a su vocación y a su estado particular, considera que no puede practicar sus actividades activas o pasivas, sin tomar determinadas precauciones.

En efecto, el mayombero siempre practica la abstinencia de alcohol y especialmente la continencia sexual durante un tiempo anterior e indefinido al ejercicio de la adivinación. Conviene resaltar el hecho de que dicho comportamiento no obedece a prohibiciones vanales; sino que por el contrario, se debe a la creencia de que tanto el alcohol como las relaciones sexuales son absolutamente incompatibles con el conocimiento. Los mayomberos entrevistados coinciden al considerar estas prácticas como negativas para el ejercicio de la adivinación en cuanto a que podrían aminorar la lucidez psíquica e intelectual del individuo. Para ellos, la abstinencia de alcohol y la continencia sexual son interpretadas como la garantía de la integridad del saber del individuo.

Cuando un individuo ha realizado el acto sexual, los mayomberos afirman que está "sucio" (impuro), y por ello no podrá acercarse a la "nganga" ni tocar ningún objeto ritual; si lo hiciera, cometería una falta muy grave que sería castigada sin demora por los espíritus. Para que el individuo esté "limpio" (purificado) después de realizar el acto sexual, deberá de darse un baño desde la cabeza a los pies; y una vez "limpio", podrá acercarse a la "nganga" y realizar o participar en cualquier ritual religioso, o bien acudir a alguna sesión espiritista.

Un hecho análogo lo constituye cuando la mujer está pasando el período de menstruación. Durante la menstruación, se dice que la mujer está "sucia" (impura), y tal como se ha explicado anteriormente, no podrá acercarse a la "nganga" ni realizar o participar en ningún ritual religioso; y si lo hiciese, provocaría la cólera de los espíritus y sería castigada sin demora y muy duramente por éstos.

En cuanto a las prácticas espiritistas, a través de las entrevistas realizadas a los mayomberos informantes, se deduce la conveniencia de que una mujer que esté menstruando no debe de asistir a las sesiones espiritistas; sin embargo, ninguno de los mayomberos consultados manifestó que se tratara de una prohibición.

Para los mayomberos, tan sólo existe una forma de poder acercarse a la "nganga" o de poder participar o realizar un ritual religioso aún estando "sucio" o "sucia". Cuando un individuo está "sucio" y necesita ejercer la adivinación o realizar un ritual religioso, podrá hacerlo después de haber frotado todo su cuerpo con ceniza (en congo, "mpolo-bánso" o "mpolo-nkumbre"), tal como señala Juan Mario Moracén Premoir.

"Cuando un mayombero está "sucio", o lo está una ngangulera, y no tiene la posibilidad de darse un buen baño de arriba abajo (desde la cabeza a los pies), si tiene que hacer un "trabajo" (hechizo) con la "nganga", lo podrá hacer si se frota el cuerpo con ceniza, ya que la ceniza todo lo limpia...".

Durante el período o intervalo de tiempo anterior al ejercicio de la adivinación, el alcohol hace que el mayombero pierda su credibilidad tanto como "intérprete" que como "transmisor"; en tal caso, la perceptibilidad y el conocimiento siempre son puestos en duda por los mayomberos.

No obstante, en cuanto al consumo de alcohol, conviene hacer algunas aclaraciones, ya que un hecho puede ser el que el mayombero consuma alcohol antes del ejercicio de la adivinación, lo cual provoca duda y desconfianza, y un hecho muy diferente es que dicho mayombero ingiera alcohol durante el mismo ejercicio adivinatorio, lo cual es lícito y está considerado como un acto muy normal. En efecto, ha podido observarse que en la mayoría de las ocasiones, el mayombero "intérprete" o "emisor" fuma y bebe sin limitación alguna mientras ejerce como adivino. Por otra parte, también se ha observado como algunos mayomberos que no fuman ni beben alcohol en su vida cotidiana, sí lo hacen cuando ejercen como adivinos.

Cuando un mayombero ejerce como adivino "intérprete", si fuma y bebe durante su ejercicio, se considera que lo hace debido a la proximidad de un espíritu que está influyendo sobre él y que le hace fumar y beber. En cuanto al mayombero "transmisor, si está "poseído", se cree que es el propio espíritu quien fuma y bebe, no el mayombero que está en dicho estado extático.

En definitiva, todo mayombero adivino, "transmisor" o "intérprete", puede fumar y beber sin límite alguno durante su ejercicio adivinatorio, siempre y cuando no experimente efectos secundarios como vómitos o mareos. Cualquier efecto secundario en el que el mayombero adivino, ya sea provocado por alcohol o tabaco, se considera como una prueba de que durante su ejercicio adivinatorio ha estado fingiendo y engañando, lo cual podría suponerle un duro castigo por parte de su "taita" o de su "yaya"; o lo que es peor, el castigo de los propios espíritus con los que ha fingido comunicarse. Por otra parte, el que el mayombero adivino que no fume ni beba alcohol en su vida cotidiana y lo haga durante su ejercicio adivinatorio, produce una gran confianza general entre los mayomberos y constituye una prueba de la validez de su adivinación.

Durante las "posesiones", los mayomberos suelen probar al "criado-prenda" o al médium que es "poseído" por los espíritus. Para ello, ofrecen al médium "poseído" una jícara que contiene chamba en abundancia. Naturalmente, lo propio es que cuando dicha bebida litúrgica está bien preparada, al abrirse la botella o el garrafón que la contiene, todas las personas presentes tosan y sientan un fuerte picor en los ojos y en la garganta. En el caso de que el médium tosiera o mostrase sentir molestias al consumir la chamba, los mayomberos sabrían que ha estado fingiendo, por lo que será fuertemente sancionado y criticado duramente por todos los mayomberos del "nsó-nganga".

Otra prueba de que un mayombero actúa como adivino "transmisor" mediante la "posesión" de un espíritu, es que cuando el mayombero "poseído" masca tabaco e ingiere a continuación aguardiente o chamba, si no experimenta efectos secundarios, su ejercicio adivinatorio se considera como válido; no obstante, los mayomberos consideran que ha estado fingiendo si experimenta lo que se conoce como "la borrachera del tabaco", que posiblemente es la peor de todas las borracheras, siendo sus síntomas: fortísimas arcadas, vómitos muy violentos y fortísimos dolores de estómago.

En cuanto a la continencia sexual, ésta se extiende incluso al uso de matrimonio legítimo; esto es, entre cónyuges. Los mayomberos consideran que el acto sexual provoca un vacío en el saber del mayombero adivino y disminuye el alcance del acto final del conocimiento en el que está en juego la adivinación.

Por último, puede afirmarse que el mayombero adivino no se caracteriza por ser tan sólo una persona dotada de unos conocimientos y de unas facultades excepcionales, sino que se caracteriza especialmente por su gran movilidad. Puede penetrar en los seres y en las cosas, ya que los mayomberos creen que se transforma durante el ejercicio adivinatorio en el propio cosmos o "Nfinda". El mayombero adivino, ya actúe como "intérprete" o como "transmisor", o de ambas formas, vive a través de cuantas personas le consultan y le necesitan (sean o no mayomberos), y también todas las personas viven en él. Esta absoluta compenetración del mayombero adivino y el ámbito en que vive, va más allá de dicho ámbito, ya que la gente acude a él no pudiendo prescindir de él, ni él mismo puede prescindir de dicha gente; pudiera incluso establecerse el que existe una verdadera consubstancialidad.

Por otra parte, puede advertirse que el mayombero que actúa como adivino "transmisor", gracias a sus características relaciones con el mundo de los espíritus, siempre se encontrará más cerca de la religión y de la mística que el mayombero adivino "intérprete", ya que éste se mueve en gran parte dentro del campo de la inteligencia humana. Además, el hecho de que los mayomberos participen de la creencia de que el mayombero que actúa como adivino "transmisor" o médium, "muere" y "resucita" intermitentemente, da lugar a unas connotaciones muy peculiares en los planos de la religiosidad y de la mística.

LOS MÉTODOS PRINCIPALES DE ADIVINACIÓN

Los materiales de adivinación

En el palo Monte Mayombe, los principales métodos adivinatorios son aquellos que corresponden a aquellos empleados por el mayombero que actúa como "intérprete", por lo que deben de ser encuadrados dentro del llamado principio activo. Hasta ahora se ha venido diciendo que los materiales de adivinación más utilizados por los mayomberos adivinos "intérpretes", son los siguientes: "chamalongo" (conchas marinas), "ndúngui" (cocos), "fula" (pólvora) y "ménsu" (espejo).

Los métodos de adivinación en los que se emplean los "chamalongo" y los "ndúngui" han sido tomados de la Regla de Osha; es decir, constituyen un préstamo cultural lucumí. En cuanto a los métodos adivinatorios en los que se utiliza la "fula" o el "ménsu", deben considerarse como métodos adivinatorios propiamente congos, ya que dichos métodos no son utilizados en la Regla de Osha ni por el "babalawo" ni por el "babalosha" o la "iyalosha". Por esta razón, los métodos adivinatorios que se van a analizar a continuación han sido clasificados en dos grupos diferentes: los métodos de adivinación congos y los métodos de adivinación de origen lucumí.

Los métodos de adivinación propiamente congos.

El método de la "fula".

Los mayomberos llaman a la pólvora de distintas maneras: "fula", "nfula", "tanfula", "tiotio-mputo" o "café inglés"; y a través de la "fula" (trad. pólvora), "hablan" con sus "ngangas" y con los espíritus, preguntándoles todo cuanto desean saber. En cuanto al ejercicio de la adivinación (en congo, "tenda matenda tendela"), recibe indistintamente el nombre de "registro" o "consulta"; aunque algunos mayomberos con el fin de diferenciarlo de la Regla de Osha le llaman: "registro de Palo" o "registro de Mayombe".

Cuando el mayombero se dispone a "hablar" con su "nganga" por medio de la "fula", siempre se coloca ante la "nganga", y tras chiflar tres veces (para llamar la atención de la misma), "sopla" un poco de chamba y humo de tabaco sobre la "nganga". Luego, realiza una "firma" en el suelo ante la "nganga" o bien sobre el plano de la hoja del "mbele-nganga" (el machete ritual), y coloca sobre la "firma" un número determinado de montoncitos de "fula", separados unos de otros y que reciben el nombre de "cargas" de "fula". A continuación, el mayombero enciende con su "nsunga" (trad. tabaco) la "carga" que se encuentra más alejada de la "nganga" y observa tanto el número de "cargas" de "fula" que arden como el modo de arder de éstas, y a partir de esta observación interpreta la respuesta de la "nganga" ante la pregunta concreta que le hizo antes de encender las "cargas" de "fula".

Así, por ejemplo, una vez que el mayombero ha realizado un "trabajo" (hechizo) y quiere saber si dicho "trabajo" está totalmente terminado o si necesita algún elemento más en su elaboración para producir el efecto deseado, podrá saberlo a través del método de la "fula". Para ello, cogerá su "nsunga" y hará arder las "cargas" de "fula", y con ello, habrá obtenido la respuesta de la "nganga". Si arden todas las "cargas" de "fula" y el humo se dirige hacia la "nganga", la respuesta se considera como un "sí" rotundo; y si se queman cuatro "cargas" de siete en total, la respuesta es negativa y entonces será preciso preguntar a la "nganga" cuál es el componente que le hace falta al "trabajo" para que está completamente terminado y de tal forma pueda surtir el efecto deseado. Este ejemplo puede dar una idea de cómo se desarrolla la operación adivinatoria.

Cualquier pregunta que se formule a la "nganga" antes de encender la "fula" deberá ser: una sola pregunta (no varias en una misma), muy clara y muy concreta. Los mayomberos consideran que ante una pregunta múltiple, confusa o incorrecta, la respuesta siempre será errónea o inexacta. Tatas y Yayas han insistido mucho en la necesidad de que las preguntas realizadas a la "nganga" sean formuladas de forma correcta; y señalan:

> "...ya que si la pregunta realizada no se ha hecho bien, la "nganga" naturalmente se desconcierta y sus respuestas son equívocas o contradictorias. Hay que poner mucho cuidado".

Uno de los informantes kimbisas de Lydia Cabrera le explicó detalladamente (1979:146-147) cómo le pregunta a su "nganga" con "fula" sobre si es o no enemigo un individuo que no conoce:

> "Hice este trazo ("firma") el de Ncuyo o Tata-Legua, un Eleguá congo, La información recogida por Lydia Cabrera (1977:146-147) procede de un mayombero kimbisa; esto es, de la Regla Kimbisa del Santo Cristo del Buen Viaje. Tal como se ha venido diciendo repetidas veces, se caracteriza por su marcado sincretismo y la apropiación de elementos culturales

pertenecientes a la Regla de Osha. Ncuyo es el mismo Lucero; mientras que "Tata-Legua" está compuesto de "tata" ("padre" en congo, sinónimo de "taita") y "Legua" (de "Elegguá", "orisha" lucumí). Este sincretismo se hace aún más patente al decir que Ncuyo es un "Eleguá" (o "Elegguá") congo.

La flecha de la derecha representa al enemigo. Para preguntar se utiliza la del centro. En el punto negro que está en la parte baja de la flecha central, se pone el primer montoncito de pólvora, y el Mayombero (mayombero) dice (a la "nganga"): si es verdad, verdad, es enemigo mío, coja usted tres ("cargas") del camino que está para él (derecha) y tres de la guía (centro) del lado derecho. Deje libre el medio. Si estallan seis montoncitos de fula y quedan siete, el que se sospecha que es enemigo no lo es. Si sólo estalla la pólvora del centro, no es enemigo".

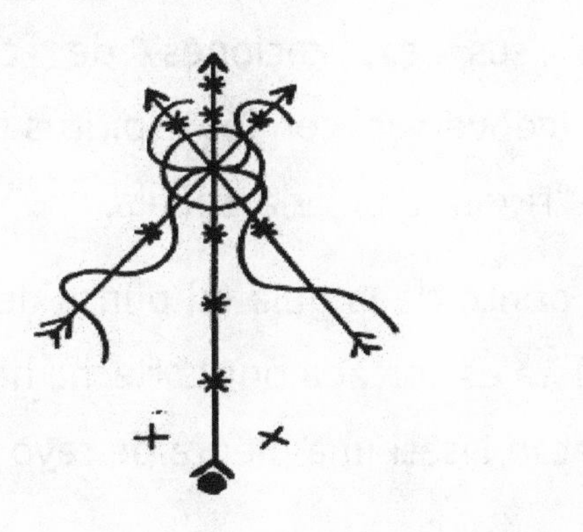

El mayombero informante de Lydia Cabrera continúa su relato (1979:147) diciendo lo siguiente:

"¿Quiere otro ejemplo? Vaya, dibujo la firma"

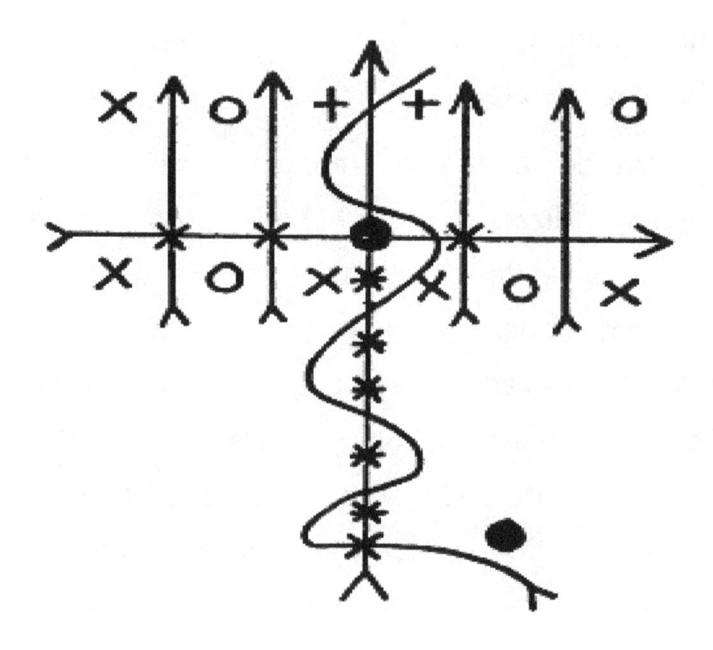

Finalmente, el mayombero informante de Lydia Cabrera (1979:147) prosigue sus explicaciones de cómo los mayomberos pueden "conversar" con los espíritus por medio de la "fula", y sobre la "firma" dibujada, señala:

"Arriba en el punto de la guía (el punto de la flecha vertical donde ésta es cortada por la flecha horizontal), se coloca un Matari Nsasi una piedra de rayo. Abajo de la flecha (vertical) se enciende la pólvora (en el punto negro) después de decir: Matari Nsasi kuenda kunayandi (mira la represa del río), kunayandi Matoko Nganga vira vira licencia Ntoto Insambi muña lango (Dios viene en el agua del cielo), tu kuenda munansulu Kimputo, ¡Ay Siete Rayos Kimpensa! Le explica el caso, lo que desea conseguir, y le pide que conteste, que diga lo que debe de hacer, prendiendo los montoncitos de pólvora que indique el Padre Nganga".

Todas estas informaciones demuestran que para los mayomberos, la pólvora "habla", y en definitiva, es uno de los medios que disponen los mayomberos y los espíritus para intercomunicarse.

Lydia Cabrera señala (1979:147-148) que cuando el mayombero realiza una "firma" sobre la cual dispone las "cargas" de "fula", canta mambos congos apropiados para ello, y expone un mambo improvisado por un mayombero informante que quiere averiguar la procedencia de su enemigo:

"¿Tré silango tré silango ¿cuál naila yo bóban?.

Krabátan sila kié ¿Krabátan sila mubomba Ngola?

Krabátan sila

Lié karabatan sile

Mu bomba Ngola.

Kié Karabatan sile, ¿Sila luwanda?,

¿Sila mubomba?, ¿Sila musundi?, ¿Sila ngunga?".

La traducción de este mambo es la siguiente:

"Tres caminos, tres caminos,/ ¿cuál de los caminos que yo tengo?,/ ¿Qué camino escojo?,/ ¿Qué camino escojo, Ngola (nombre de la "nganga" del mayombero), "nganga" mía?/ ¿Qué camino escojo?,/ ¿qué camino escojo?,/ ¿El camino luwanda?,/ ¿qué camino, mi nganga?,/ ¿el camino musundi?,/ ¿el camino ngúnga?".

La situación en la que se desarrolla este mambo recogido por Lydia Cabrera es la siguiente. El mayombero posee una "nganga" llamada "Ngola" (trad. Angola; o también, anguila), y ha realizado una "firma" en la que ha trazado tres flechas que corresponden a tres tierras o pueblos congos: el luwanda (Luanda), el musundí y el ngúnga. Sobre la "firma" ha colocado las "cargas" de "fula", y acto seguido, pregunta a su "nganga" a qué pueblo (es decir, a qué Regla de Congo) pertenece su enemigo para localizarle. Luego, encenderá con su "nsunga" (trad. tabaco) la "fula" y se irán encendiendo las diferentes "cargas" siguiendo una dirección: hacia la flecha que corresponde al pueblo (Regla de Congo) concreto al que pertenece el enemigo desconocido.

Esta clase de "firmas" sobre las que se disponen las "cargas" de "fula" y que muestran varias flechas indicadoras, siempre se realizan sobre el suelo frente a la "nganga". Naturalmente, las "firmas" recogidas por Lydia Cabrera y que han sido expuestas, necesitan bastante espacio para su trazado.

Por otra parte, muchos mayomberos también realizan "firmas" sobre su "mbele-nganga" o machete ritual. A lo largo del plano de la hoja, realizan la "firma", y sobre dicha "firma" colocan las "cargas" que irán ardiendo en dirección a la punta de dicho instrumento ritual. Se ha podido observar com cuando los mayomberos han realizado un "trabajo" (hechizo) y quieren saber si está totalmente acabado o si necesita algún ingrediente más, dibujan indistintamente la "firma" en el suelo, frente a la "nganga", o bien sobre el "mbele-nganga". En el caso de que se realice sobre al "mbele-nganga", los mayomberos hacen dos "firmas", una por el anverso y otra por el reverso, colocando las "cargas" de "fula" sobre el anverso, de la siguiente manera:

"MBELE-NGANGA": el machete ritual.

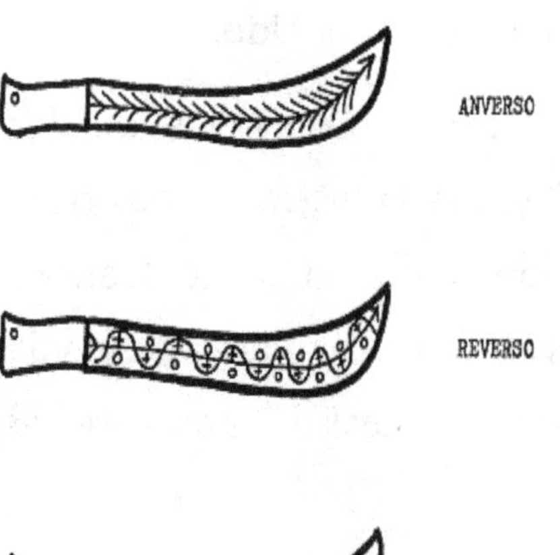

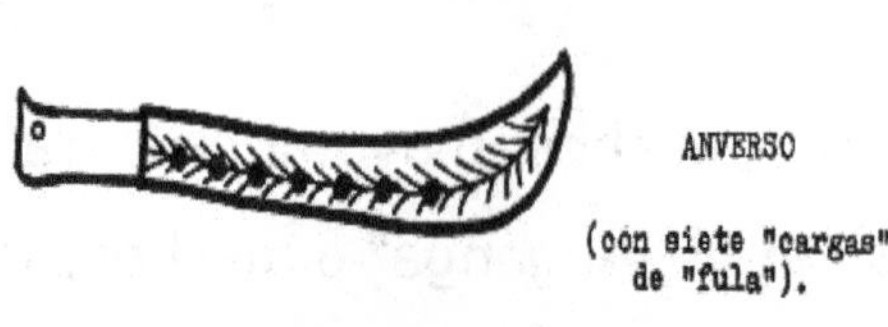

Algunos ngaguleros tienen por costumbre el preguntar con "fula" a sus ngangas, para saber si sus "trabajos" (hechizos), están bien elaborados. Dichos ngangas hacen sus "firmas" con sus correspondientes "cargas" de "fula" en sus "mbele-nganga" de la forma señalada; no obstante, colocan también una vela encendida en la punta de sus "mbele-nganga" y a muy corta distancia del trabajo realizado. Lo hacen de la forma que muestra el dibujo:

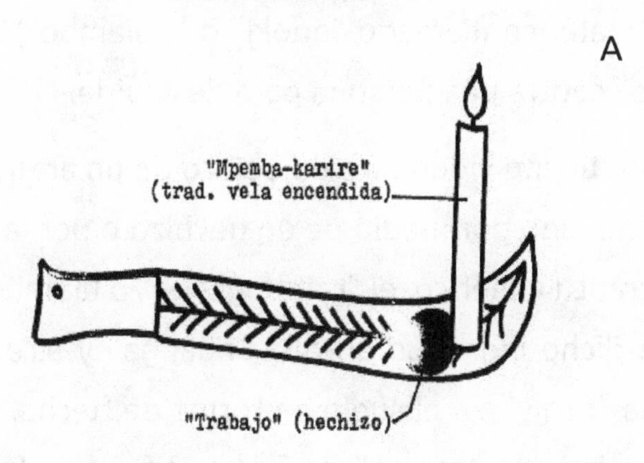

continuación, encienden las "cargas" de "fula" colocando el "mbele-nganga" en dirección a la "nganga"; y si se enciende la "fula" apagándose sola la vela, el "trabajo" está perfectamente terminado y producirá el efecto deseado, tal como aseguran estos mayomberos.

La "fula" se utiliza para que los espíritus "dialoguen" con los mayomberos; sin embargo, conviene señalar algo más sobre su empleo. La "fula" se utiliza también en "limpiezas" o "despojos" (ritos de purificación) considerados como muy "poderosos".

En las prácticas espiritistas que se desarrollan en torno al "nsó-nganga", los mayomberos emplean la "fula" para el "rompimiento" (destrucción) de hechizos realizados por enemigos cuando se considera que éstos son muy fuertes; y también, para el "desprendimiento" (separación) de un espíritu maléfico (llamado "ndoki" o "ndiambo") que ha sido "enviado" contra una persona para destruirla.

Cuando un individuo ha sido objeto de un ataque realizado por un enemigo por medio de un hechizo o por la "enviación" de un espíritu maléfico, el "taita-nganga" o la "mama-nganga" coloca a dicho individuo ante la "nganga" y alrededor de él traza una "firma" en el suelo en forma de flecha. Sobre dicha "firma" coloca 21 "cargas" de fula y al final de la misma una vela encendida. Tras invocar a la nganga y a los espíritus protectores, el "taita-nganga" o la "mama-nganga", canta un mambo y enciende una "fula", y tras irse prendiendo todas las "cargas", los naganguleros aseguran que se apagará sola la vela.

Para los mayomberos, el momento justo en que se apaga sola la vela, marca el instante en que el hechizo se ha destruido, o bien cuando el espíritu maléfico ha sido "desprendido" de la persona y "apresado" por la "nganga".

Esta "firma" de "limpieza" o "despojo" con 21 "cargas" de "fula", ha sido observada en los "nsó-nganga" frecuentados de dos formas bastante similares:

"Firmas" de "limpieza" con 21 "cargas" de "fula".

El método del "vititi-ménsu".

La "mpaka-nganga" (trad. lit. cuerpo de la "nganga") es un cuerno ritual dentro del cual se introducía toda una serie de elementos: huesos de difunto, tierras diversas, pelo de rabo de gato y de perro, colmillo de jabalí, espuelas de gallo, y muchos otros. También se dijo que sus funciones eran esencialmente dos:

1) Es un excelente y eficaz "llamador" que provoca la presencia inmediata de cualquier espíritu rebelde ante el conjuro del mayombero y que se niega a hacer acto de presencia.

2) Sirve para "ver" todo cuanto desea el mayombero. Esta es la función que aquí interesa en cuanto a que constituye uno de los métodos adivinatorios más empleados en el Palo Monte Mayombe.

El espejo mágico está situado en el extremo de la parte ancha del cuerno o "mpaka", y recibe el nombre de "vititi-ménsu". Realmente la palabra "vititi-ménsu" significa literalmente: "ojo para ver" o también "espejo para ver"; ya que "mensu" significa "ojo" o "espejo" según el contexto en que se emplee. Este "vititi-ménsu" actúa tal y como si fuera un "catalejo" mágico o como un "ojo" mágico capaz de observarlo todo, tanto del mundo de los seres vivos como del mundo de los espíritus.

Para poder "ver" en el "vititi-ménsu" de la "mpaka-nganga", el mayombero deberá previamente pedir "licencia" a la "nganga" explicándole de forma precisa qué es lo que realmente se desea "ver". Obtenida la "licencia", el mayombero cogerá la vela de la "nganga" con la mano izquierda y la sostendrá sobre la "nganga", mientras que con la mano derecha deberá coger la "mpaka-nganga", de tal forma que la vela esté situada muy próxima al "vititi-ménsu" para que el humo de la vela forme un hollín sobre la superficie del "vititi-ménsu", que irá adquiriendo diferentes formas hasta configurar la imagen deseada tal y como si fuera una fotografía.

El mayombero irá moviendo la vela lentamente bajo la "mpaka-nganga" haciendo cruces en el aire; y mientras tanto, cantará mambos como el que se va a exponer a continuación:

(Estribillo)… Coro... "Mpemba-karire lumbra yo (bis).

Gallo… Como lumbra misma nganga, lumbra yo.

Coro... Estribillo.

Gallo… Como lumbra mi Siete Rayos, lumbra yo.

Coro... Estribillo.

Gallo… Como lumbra Tángo arriba nsulu, lumbra yo.

Coro... Estribillo.

....

La traducción de este mambo es la siguiente:

A) Parte correspondiente al estribillo, cantado por el coro:

"/ Vela que estás encendida, alúmbrame./".

B) Parte correspondiente a las estrofas cantadas por el "gallo" o solista:

"/ Como alumbras a la misma "nganga", alúmbrame./ Como alumbra mi Siete Rayos, alúmbrame./ Como alumbra el sol arriba en el cielo, alúmbrame./".

Método adivinatorio del "Vititi-ménsu"

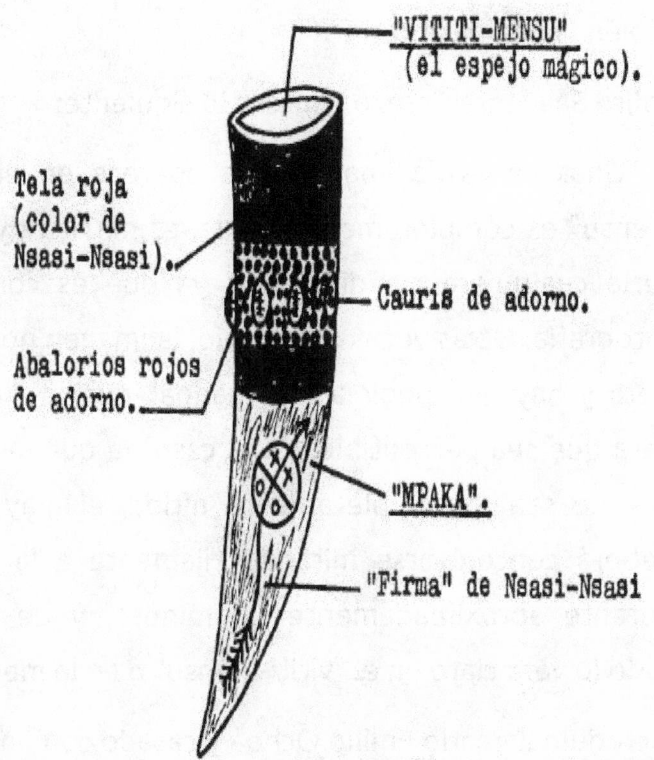

"Mpaka-nganga" con "vititi-ménsu" de una nganga de Nsasi-Nsasi, perteneciente a Edelmiro Saavedra Cerezo. (La Habana).

Mientras el mayombero canta el mambo y va moviendo la vela, poco a poco el "vititi-ménsu" va adquiriendo diversas formas con el hollín hasta crear la imagen que interpreta el mayombero. Este método queda expuesto con el dibujo realizado en la página anterior.

Edelmiro Saavedra Cerezo expresa lo siguiente:

> "Unas veces, la imagen que aparece en el "vititi-ménsu" es completamente nítida, es perfecta y puede verla cualquiera sin dificultad; ya que es como una fotografía. Otras veces en cambio, la imagen no es muy clara y hay que pedir a la "nganga" que la clarifique para que sea perceptible. En el caso de que la imagen aún no sea lo completamente nítida, el mayombero deberá concentrarse mirando fijamente a la imagen durante aproximadamente un minuto, y de pronto, todo lo verá claro en el "vititi-ménsu" o en la mente".

Un incrédulo llamado Emilio Ochoa y casado con una mujer cubana que frecuenta el "nsó-nganga" de Noelia Martín, narra de este modo cómo esta ngangulera identificó a su cuñada a través del "vititi-ménsu":

"Mi señora estaba empeñada en que fuera a ver a una "bruja" cubana que se llama Noelia. Yo no quería ir, pues no creía" en nada de "eso"... Yo estaba pasando una malísima racha y estaba a punto de cerrar mi restaurante, estaba casi en la ruina, todo me salía mal. Pues bien, la negra agarró una vela y la colocó sobre un "pote" ("nganga") lleno de palos, plumas, herraduras de caballo, cadenas viejísimas y herrumbrosas, y yo qué sé cuántas "porquerías". También cogió un cuerno enorme que tenía un espejito, no muy grande, y con el humo de la vela manchó el espejito apareciendo la cara de una mujer, le juro a usted por la salud de mis hijos que vi claramente la cara de mi cuñada que vive en Gijón, en mi tierra. Figúrese, mi cuñada es pelirroja y la vela dibujó el pelo de la mujer casi rojizo. Mire, se me ponen los pelos de punta (enseña el antebrazo). Según la "bruja", mi cuñada nos tenía una envidia muy grande por un asunto de unas tierras que tenemos allá, y esto es verdad. Yo no sé qué demonios hizo la "bruja", pero desde entonces mi restaurante ha vuelto a producir como antes y todos mis negocios prosperaron, mientras que a mi cuñada todo le ha ido muy mal, como a mí antes de ir a ver a la "bruja" con mi señora... Yo realmente, confieso que no creo en esas cosas como mi mujer, y precisamente por eso hemos tenidos peleas; pero le juro a usted que ví con mis propios ojos la imagen de la cara de mi cuñada en aquel espejito del cuerno".

Esta información que ha sido recogida, procede de un individuo completamente ajeno al Palo Monte Mayombe y al ámbito afrocubano, e ilustra en cierto modo cómo los mayomberos "registran" (establecen el oráculo) con el "vititi-méndsu" de la "mpaka-nganga"; no obstante, conviene señalar que cuando no disponen de "mpaka-nganga" o no la tienen a mano y creen que la necesitan, en su sustitución emplean un plato completamente blanco (a ser posible sin dibujos), que recibe el nombre de "mabongo". Para utilizar el "mabongo" o el "vititi-ménsu", dibujan en él una "firma" y sobre ésta "soplan" chamba y humo de tabaco. Luego, realizan la operación de la vela, tal como se ha explicado.

Los "chamalongo" y de los "ndúngui".

¿De dónde viene Chamalongo?

El termino "chamalongo" es muy polémico entre investigadores de la Regla de Palo Monte desde hace muchos años. A propósito de este tema transcribo correspondencia sostenida con el profesor Jesús Fuentes Guerra reconocido y premiado lingüista especialista en la lengua de los Congo en Cuba:

Fuentes Guerra en una aclaración crítica sobre el termino chamalongo para este libro desarrolla su tesis desde las siguiente perspectiva científica. En ese sentido se expresa de la siguiente forma:

...Aquí mostraré al lector dos procedimientos diferentes para la búsqueda del cognado kikongo de la voz palera **chamalongo**:

(a) la metodología mediante "bloques" descontextualizados de Valdés Acosta y Leyva Escobar (2009) y

(b) el método explicativo-contextual de Fuentes Guerra y Armin Schwegler (2005).

Diccionario de bantuismos en el español de Cuba (pág. 48).

Chamalongo s. relig.-cult.: nombre de una deidad conga Ñ m. sistema adivinatorio del
Palo Monte. KL: 406 **ma-longo**: lugar alejado, arriba, en lo alto (kikóongo)/ PS: 131: **kia-**: prefijo que indica agente, objeto / PS: 250 **longo**: rito de circuncisión o de iniciación en sectas secretas / PS: 296 **malongui**: doctrina, lección, tratado. FOA: 315:

Chamalongo: nombre de un ser sobrenatural / TD: 42: **shamalongo**: barbacoa, cementerio; nombre de una orden criolla del Palo Monte. (b) *Lengua y rito del Palo Monte Mayombe: dioses cubanos y sus fuentes africanas* (págs. 42-43)18

Chamalongo. Para las consultas y para buscar autorización de la entidad que rige la *nganga* con el objetivo de llevar a cabo cualquier ceremonia, el palero se vale de un oráculo llamado chamalongo (Pell 2003). Por su importancia en los rituales de las Reglas Congas y en el quehacer cotidiano del gangulero nos referiremos detalladamente a este instrumento de adivinación.

El chamalongo consiste en un juego de cuatro chapillas (o lascas) de semillas de coco o de siete u ocho caracoles que, divididos por la mitad, presentan un lado cóncavo y otro convexo al ser lanzados. De acuerdo con la cantidad de piezas que caigan en una u otra forma, el adivino (en este caso el nganga) sacará una letra o signo portador de un significado específico. La lectura e interpretación del oráculo orienta al palero y al consultante sobre la actividad ritual que ha de llevar a cabo. 18 Fuentes Guerra, Jesús/ Armin Schwegler; ver Bibliografía.

Para el practicante cubano de la Regla de Palo, todo lo que rige su quehacer religioso se considera secreto, y por lo tanto es un "tratado". Esto es precisamente el significado literal de *chamalongo* ya que esta voz se origina en el kik. *kiamalongo* "pequeño tratado", término que en la provincia de Uige (actual Angola) se utilizó por los misioneros capuchinos para denominar a un catecismo, considerado éste como una "doctrina breve" de la catequesis cristiana.

El vocablo chamalongo está compuesto por *cha* + *malongo,* cuyo significado primitivo era 'pequeño tratado'. En su origen, pal. *cha-* es un prefijo que en algunos dialectos kikongo se realiza *ki* o *kya.* Según Sw. 131, kik. *kya* indica "diminutivo, objetos materiales, agente, profesión". Su palatalización a *cha-* en *chamalongo* puede considerarse un fenómeno de carácter dialectal típico del kikongo y, sobre todo, de los dialectos noroccidentales kivili y kilari. En la primera modalidad dialectal, por ejemplo, *nkénto* 'mujer, hembra' deviene *ntchiento;* en kilari, la misma palatalización se observa en *tchula* 'rana' (cp. kik. *kiula*). El segmento *malongo* a su vez proviene de kik. *Malóngi* 'enseñanza, doctrina, lección, tratado, catecismo, prédica, sermón' (Sw. 296); kik. *nlòngo* (Sw. 461) es algo secreto como resulta el *malongo* o "tratado" para los mayomberos".

En comunicación personal (1-10-2013), el periodista, editor e investigador de la africanía Ralph Alpízar me comentó lo siguiente: "Entre los yombe existe una expresión para escenificar la consulta con cuatro pedazos de nueces de cola que es "*iama ia longo*" o *nchiama ia longo*". No constituye en sí mismo el nombre del método adivinatorio, ya que este carece de un término específico para identificarlo, más bien es una expresión relacionada con la □profecía□ o □tabú□ que va a vaticinar el oráculo.". Y efectivamente, Alpízar no está desencaminado. *Nsiáma* (tamb. pronunciado *nchiáma* en algunas áreas dialectales del kikongo) equivale a 'solidez física y moral'; fuerza, convicción, resistencia vigor moral; inconmovible, seguro de sí mismo, firmeza, firme' (Sw. 473). *Nlòngo* es 'cosa sagrada, prohibida, tabú' (Sw. 461-462) como ya apunté supra. Sá *nlòngo* significa 'consagrarse, iniciarse en determinado culto' en kikongo.

Por lo tanto, *nsiáma nlòngo* (o *nchiáma nlóngo* = **chamalongo**) denota 'la fuerza de lo sagrado', es decir, el poder vaticinador del oráculo. Y siguiendo la indagación en este sentido (propuesta por Alpízar), podemos añadir que kik. *yáma* significa 'apelar, llamar, pronunciar algo en voz alta' (Sw. 739), de este modo, la expresión *yáma nlòngo* (muy similar a **chamalongo**) no es más que 'apelar a lo sagrado, al tabú a lo oculto'; de ahí, 'consultar o recurrir al tratado' , porque en el Palo Monte todo rito oculto, todo tabú es un **tratado** (Malongi ma Nti ya Mfinda = Tratados del Palo Monte).

Desde el punto de vista semántico se aprecian varias imprecisiones en el texto de las profesoras de la Universidad

Central (por falta de una valoración crítica de las obras lexicográficas cubanas o por propuestas erróneas de algún colaborador):

(1) Chamalongo no es el nombre de ninguna deidad conga.

(2) *Lóngo* con tono alto en la primera *o* es entre los bakongo el rito de circuncisión (iniciación en la adultez) y no tiene nada que ver con el chamalongo (conchas o chapillas de adivinación) de los paleros. Las autoras debieron consultar *nlòngo*, (Sw. 461) con tono bajo en la primera *o* y hubiesen estado mejor encaminadas; ya que es un término vinculado con "lo sagrado", "lo prohibido", "el tabú", "lo oculto", contexto donde funciona el Chamalongo palero y que no se relaciona alguna con el rito de pasaje de los bakongo (*lóngo*).

(3) El *ma-longo* de Laman 'lugar alejado, arriba, en lo alto', está muy distante del valor semántico del término.

(4) Chamalongo no es nombre de un "ser sobrenatural", como equivocadamente apunta Fernando Ortiz.

(5) Shamalongo (sic.) no es ni "barbacoa" ni "cementerio" ni "nombre de una orden criolla del Palo Monte", como incorrectamente nos informa Teodoro Díaz Fabelo. Para comprender lo engañoso del proceder de Valdés Acosta y Leyva Escobar basta hacer el siguiente razonamiento: La similitud entre palabras de distintas lenguas no basta para demostrar que dichos vocablos están relacionados entre sí, del mismo modo que sólo por un parecido físico no se puede determinar si dos personas tienen los mismos genotipos. Creo que todos los métodos lingüísticos que tratan de pasar por encima de su mayor caballo de batalla (la semántica) siempre estarán gravemente equivocados.

Polémica aparte sobre este termino, lo cierto es que hoy en día es la forma generalizada para llamar correcta o incorrectamente al sistema mas conocido de adivinación de la Regla de Palo Monte.

El método adivinatorio de los "chamalongo" y de los "ndúngui" es el más común y está tomado de la Regla de Osha. Hasta ahora se ha venido diciendo que los mayomberos emplean unas conchas marinas muy duras llamadas "chamalongo" y unos trozos de cáscara de coco llamados "ndtingui" (trad. coco).

En efecto, los mayomberos suelen emplear 4 conchas marinas muy duras, y cuando carecen de ellas, emplean en su sustitución 4 trozos de cáscara de coco. Este método consiste en realizar una pregunta concreta a la "nganga" y a continuación lanzar las 4 conchas o los 4 trozos de cáscara de coco al aire para observar luego la posición en que han caído en el suelo. Dicha posición de los "chamalongo" o de los "ndúngui" en el suelo corresponde a una respuesta afirmativa o negativa que el mayombero deberá interpretar de acuerdo con la pregunta formulada a la "nganga".

Por otra parte, al ser cuatro los "chamalongo" o los "ndúngui", las posiciones posibles son cinco en total; y de acuerdo con sus nombres lucumís son: "Alafia", "Ellife", Otawo", "Okana" y "Oyékun". Los mayomberos dicen que un "chamalongo" (una concha marina) o un "ndúngui" (un trozo de cáscara de coco) "ha caído hacia arriba", cuando la parte convexa está en contacto con el suelo y su parte cóncava ha quedado hacia arriba; y dicen que "ha caído hacia abajo" (o "boca abajo"), cuando ocurre lo contrario.

"Chamalongo": posición de "caída hacia arriba".

"Chamalongo": posición de "caída hacia abajo".

"Ndúngui": posición de "caída hacia arriba".

"Ndúngui": posición de "caída hacia abajo".

Representación: posición de "caída hacia arriba".

Representación: posición de "caída hacia abajo".

De este modo, las cinco posiciones posibles de los "chamalongo" o de los "ndúngui" de acuerdo con su representación, quedan así establecidas:

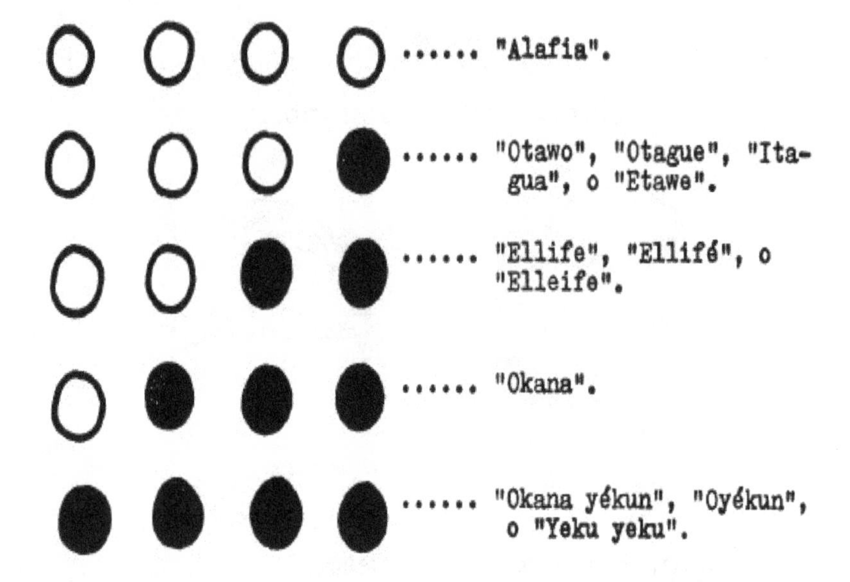

Cada una de estas posiciones recibe el nombre genérico de "letra" o "marca", y la acción de interpretar dicha posición recibe el nombre de "leer la letra" o "leer la marca".

Cuando el mayombero emplea este método adivinatorio, deberá hacer una pregunta muy clara y concisa a la "nganga" o al espíritu que invoca y con quien quiere "hablar". Mientras está realizando la pregunta, el mayombero frota fuertemente los "chamalongo" o los "ndúngui" con ambas manos, y luego los lanza al aire o fuertemente contra el suelo, para observar la "letra", que es la posición en que han caído.

Siguiendo esta forma de sincretismo religioso Tatas y Yayas expone de forma muy breve el significado de las cinco "letras" o "marcas"; es decir, su "lectura" o interpretación:

"**Alafia**".

"Esta "letra" se produce cuando los "chamalongo" han caído en el suelo hacia arriba. Siempre que sale esta "letra" es preciso volver a hacer la misma pregunta y repetir la tirada. En sí misma, no se puede considerar una "letra" ni buena ni mala, ya que está en función de la "letra" que salga a continuación: si es Ellifé u Otawo, la respuesta es un sí rotundo, pero si es Okana u Okana-yékun, la respuesta es un no rotundo.

Cuando la "letra" siguiente es un Okana-yékun, la respuesta es fatal; ya que anuncia una desgracia o calamidad. En tal caso, el mayombero deberá preguntar cómo se "mata" esta "letra"; es decir, qué es lo que hay que hacer para evitar la desgracia o calamidad que se avecina.

Varios Alafia seguidos siempre hacen escamar al mayombero, por lo que debe tomar precauciones. Estos Alafia consecutivos pueden significar que la "nganga" dice que uno puede hacer lo que le venga en ganas, pues ella se desentiende y no desea intervenir; por ello, el resultado puede ser contrario al esperado.

Cuando la siguiente "letra" es Ellifé, el mayombero deberá besar el suelo en acción de gracias por dicha contestación, ya que este sí está relacionado con el éxito total, la salud, la dicha, la prosperidad, la felicidad, y la bendición de los espíritus. Algunos mayomberos muy expresivos se emocionan y no sólo besan el suelo, sino que se tocan la frente y la nunca con los "chamalongo" y a continuación los besan.

Alafia es una "letra" que está intimamente relacionada con varios "mpungu" que "hablan" a través de ella: Nsasi-Nsasi, Tónde-Cuatro Vientos, Mamá Kéngue, Tiembla-Tierra y los Mpungu Jimaguas".

"**Ellifé**".

"Para muchos mayomberos, y yo pienso igual, esta es la "letra" mayor de todas. Se produce cuando dos "chamalongo" caen hacia arriba y los otros dos hacia abajo. Siempre debe interpretarse como un sí rotundo, solemne y sin discusión alguna. Por eso yo lo llamo "la letra de la firmeza".

Tal como te dije, esta "letra" puede ratificar afirmativamente a un Alafia cuando la precede. Cuando sale esta "letra", el mayombero siempre dice: "lo que se sabe no se pregunta", por lo que no hay que preguntar más ni seguir dando vueltas al asunto.

Esta "letra" está íntimamente relacionada con los "nfuiri-ntoto" (trad. espíritus difuntos); y también, con los siguientes "mpungu" o santos congos: Lucero-Mundo, Nsasi-Nsasi, Zarabanda, Tá Kañeñe, Mariwánga y Chola-Nwengue".

"**Otawo**".

"Esta "letra" también se llama "Otague", "Itagua" o "Etawe", que como todos los nombres de estas "letras" son nombres" lucumís y no congos. Esta "letra" ocurre cuando tres "chamalongo" caen hacia arriba y uno hacia abajo. En un principio, esta "letra" equivale a un sí dubitativo que conviene inmediatamente confirmar mediante una nueva pregunta, a ser posible más clara y escueta. Si este Otawo se repite, se trata de un sí rotundo y entonces esta "letra" se llama "Otawo-Melli" (trad. lucumí, Otawo doble); y en el caso de que sea otra "letra", le " otorga un carácter rotundo, de firmeza, como: Otawo-Alafia (sí rotundo), Otawo-Ellifé (sí rotundo), Otawo-Okana (no rotundo) y Otawo-Okana Yékun (no rotundo que a su vez anuncia desgracias y calamidades).

Esta "letra" está relacionada con los siguientes "mpungu": Chola-Nwengue, Madre de Agua, Tá Kañeñe y Nsasi-Nsasi".

"**Okana**".

"Esta "letra también se llama "Okana-sódde". Es cuando tres "chamalongo" caen hacia abajo y uno hacia arriba. Ante la pregunta formulada, Okana siempre corresponde a una respuesta negativa. En la Regla de Osha, los santeros consideran que" esta "letra" puede predecir algo esencialmente malo, y por eso se tiran de las orejas y abren ostensiblemente los ojos para estar bien atentos a todo cuanto anuncia; sin embargo, nosotros (los mayomberos) no lo hacemos.

Puede ser que al principio salga esta "letra" y no tiene que ser forzosamente negativa, ya que puede ocurrir que anuncie que va a "hablar" directamente Nsasi-Nsasi o Mariwánga; por ello, conviene preguntar de nuevo cuando esto ocurre al principio.

Esta "letra" está íntimamente relacionada con estos dos "mpungu": Mariwánga-Centella y. Nsasi-Nsasi".

"**Okana-Yékun**".

"Esta "letra" se llama "Oyékun", "Yékun", "Okana-Yékun" o "Yeku-Yeku". Esta "letra" nefasta se produce cuando los cuatro "chamalongo" caen hacia abajo. Es un no rotundo, pero suele anunciar desgracias y calamidades, e incluso que la muerte anda rondando a alguien. Los mayomberos consideramos que esta "letra" es un signo de mal augurio y hay que estar más atentos que nunca para preguntar a continuación sobre dicha calamidad o desgracia y para averiguar cómo se "mata" esta "letra" para que no se produzca la desgracia o la calamidad.

Si a continuación sale otro Okana-Yékun, es preciso el encender una vela a los difuntos o cambiar la vela de la "nganga" por otra. Cuando esto ocurre, yo siempre tiro los "chamalongo" y los sustituyo por otros, no los vuelvo a utilizar jamás; aunque la mayoría de los mayomberos suelen "refrescarlos" (purificarlos) metiéndolos en una jícara que contiene agua fresca y manteca de cacao.

Siempre que sale esta "letra" se debe de "refrescar" la entrada de la casa, y esto consiste en echar tres chorritos de agua fresca en el suelo por delante y detrás del "munelando" (trad. puerta). En ocasiones, la vela que se enciende a los difuntos se coloca detrás justo del "munelando".

La desgracia puede venir de distintas formas: la cárcel, una enfermedad incurable, un accidente mortal, una muerte violenta, la muerte de un familiar, u otras formas de desgracias. Por ello, hay que averiguar urgentemente la procedencia de la desgracia y en qué consiste para luego evitarla. En ocasiones, las desgracias pueden provenir por el alejamiento de los espíritus protectores o del mismo "ángel de la guarda" de la persona debido a su mal comportamiento (para lo cual urge una reconciliación) o por la acción de una brujería o un hechizo maléfico".

Tatas y Yayas asevera que aunque la exposición realizada es cierta, resulta demasiado esquemática. Por esta razón, este algunos informante ha querido añadir algunos detalles que sirven para demostrar otras posibilidades:

> "...en realidad no es tan fácil como parece y se dan muchísimas combinaciones que no te ha dicho, para que no resultara tan complejo; no todo se reduce a cinco "letras", y por eso se necesitan años de práctica. Asi, por ejemplo, tal como él dice, cuando al principio sale Okana-Yékun, no tiene por qué ser el anuncio de algo nefasto o de una desgracia que se avecina, ni tampoco por qué ser un no con firmeza; puede ser tan sólo, que el propio Nsasi-Nsasi quiera anunciar que desea "hablar" directamente.
>
> Puede ocurrir que un "chamalongo" quede vertical y no caiga ni hacia arriba ni hacia abajo. Figúrate que está

recostado o apoyado sobre otro "chamalongo" o haya caído sobre un" objeto. Se dice entonces que "el muerto está parado", y esto quiere decir que el espíritu reclama algo o desea que se preste muchísima atención a algo que va a decir a continuación.

También puede ocurrir que un "chamalongo" caiga sobre otro, que es cuando se dice que está "montado". Si la pregunta efectuada es sobre un negocio y la respuesta es afirmativa, ese negocio sin duda va a producir muchísimo, es un negocio fenómeno. Si la pregunta es sobre la salud de un enfermo y la -espuesta es igualmente afirmativa, el enfermo se restablecerá totalmente, y si se va a operar, la operación será un éxito.

Cuando los cuatro "chamalongo" caen en línea, se dice que han hecho un "camino". Si la pregunta es sobre un viaje y la respuesta es afirmativa, puede interpretarse como que "el camino está abierto", será un éxito; pero si es negativa, "el camino está cerrado", será un fracaso. Si la pregunta es sobre un posible negocio y la respuesta es afirmativa, dicho negocio podrá realizarse sin miedo, pues será un éxito, todo estará a favor.

No hay que olvidar que los "chamalongo", aún siendo tan sólo cuatro, pueden "hablar" muchísimo. Ante todo, hay que saber dirigirse a los espíritus, saber preguntar y saber naturalmente la interpretación. No se aprende a "tirar" los "chamalongo" en cuatro días, ni mucho menos; es un aprendizaje que lleva mucho tiempo y muchísima práctica".

El método de los "nkobo" de la Regla Kimbisa del Santo Cristo del Buen Viaje.

Además del método de los "chamalongo" o de los "ndúngui", existe otro método adivinatorio cuyo origen es igualmente lucumí. En la Regla de Osha, el "babalosha" y la "iyalosha" emplean un método adivinatorio que recibe el nombre de "diloggún" (trad. lucumí, caracol). Consiste en lanzar 16 cauris (Ciprea Monaeta) sobre una estera colocada en el suelo o bien sobre una mesa. Para que el cauri "hable", los santeros perforan la parte superior del cauri produciendo un agujero; de esta forma, el cauri presenta dos agujeros: uno provocado en la parte superior y otro natural en su parte inferior. Los mayomberos de la Regla Kimbisa del Santo Cristo del Buen Viaje, muy influidos por la Regla de Osha, aunque esencialmente congos, se apropiaron del sistema adivinatorio lucumí del "diloggún" e incluso utilizan 16 cauris como los santeros.

A continuación se va a exponer cómo se ejerce este sistema adivinatorio de los "nkobo" (trad. caracol), y aunque en diversas ocasiones se ha observado cómo se establece el oráculo, la información que se va a presentar procede del estudio efectuado por Lydia Cabrera (1977:40-62), debido a la claridad y minuciosidad de su exposición.

"NKOBO": el caracol (cauri).

Perfil.

Parte inferior.

Parte superior.

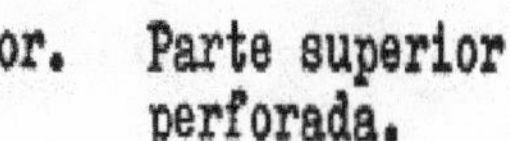

Parte superior perforada.

Algunos informantes señalan que los "nkobo" o cauris que emplea el mayombero kimbisa están "trabajados". Esto quiere decir que han pasado por todo un proceso de preparación ritual antes de ser consagrados definitivamente a la adivinación. Para ello, una vez que ha perforado la parte superior de los cauris, los purifica en una palangana o recipiente nuevo que contiene los siguientes ingredientes señalados por Lydia Cabrera (1977:41):

- Flor de agua (Eichornia Azurea), "tikorón".

- Abrojo, "nguingo".

- Flor de campana o bijáura" (Datura Suaveolens).

- Flor de algodón (Gossypium Barbadense, Lin.), "duambo".

- Salvia (Pluchea Adorata, Cass.). "léka".

- Hojas de ceiba (Ceiba Pentandra) de la parte que da al este, "nkunia-Ungundu" o "nkunia-Nsambi".

- Incienso, "mpolo-Nsambi" (trad. lit. polvo de Dios).

- Cascarilla, "makato-léle".

- Agua de Florida (una clase de colonia).

- Agua bendita de la iglesia, "mámba-nsó Nsambi" (trad. lit. agua de la casa de Dios).

Luego, los "nkobo" se lavan en la palangana y se realiza un sacrificio a los "nkobo":

- Dos palomas blancas, "nsusu-diampembe".

- Cascarilla, "makato-léle".

- Babosa, "yerebita" o "soyanga".

- Incienso, "mpolo-Nsambi".

- Coco, "ndúngui", "nsandi", "kumulenga" o "nkandián".

- Rositas de maíz (en España, palomitas de maíz).

- Hojas de algodón (Gossypium Barbadense, Lin.), "duambo".

- Manteca de cacao, "masiwango" o "masi-kuluengo".

- Albahaca (Ocimum Basilicum, Lin.), "mechuso".

A continuación, los "nkobo" se cubren con un pañuelo - blanco y a los cuatro días se vuelven a lavar con:

- Agua de río, "mámba-lukuilo", "mámba-lukala" o "lángo-kokoansa".

- Agua bendita de la iglesia, "mámba-Nsambi".

- Agua de mayo.

Siempre que el "taita-nganga" o la "mama-nganga" kimbisa emplea los "nkobo" para el ejercicio adivinatorio, lo hace frente al altar que tiene en el "nsó-nganga", colocando un vaso de agua con un gajo de albahaca sobre la estera. Algunos kimbisas ponen un pañuelo de seda y un "ménsu" (trad. espejo) con la función de "vititi-ménsu" sobre el vaso de agua, a la vez que queman incienso.

Los "nkobo" o cauris "hablan" siempre según sus "letras" o "marcas". Anteriormente se dijo al hablar de los "chamalongo" y de los "ndúngui", que una "letra" o "marca" era la posición en que quedaban éstos al caer en el suelo. En el caso de los "nkobo", la "letra" o "marca" es el número de cauris que caen con la parte blanca hacia arriba; es decir, el número de cauris que caen con el agujero natural hacia arriba y el producido por la perforación hacia abajo.

Cada "mpungu" congo tiene su "marca", su número asignado. Por otra parte, los mayomberos distinguen las "marcas" en "marcas buenas" y "marcas malas", y para saber si son "buenas" o "malas", es preciso saber si son "marcas de mano derecha" o "marcas de mano izquierda".

Lydia Cabrera explica (1977:42) que una "marca" es de "derecha" o de "mano derecha", cuando el número de los "nkobo" que caen por la parte blanca hacia arriba en la primera tirada es mayor que en la segunda; mientras que una "marca" es de "izquierda" o de "mano izquierda" cuando ocurre lo contrario.

El ejercicio adivinatorio mediante los "nkobo" recibe el nombre de "registro" o "consulta" al igual que en la Regla de Osha; no obstante, los mayomberos kimbisas también lo llaman "vititi-nkobo" (trad. lit. ver el caracol), que significa "ver el caracol" o "leer el caracol", que no es otra cosa que interpretar la "letra" o "marca".

Siempre que el mayombero kimbisa "consulta" o "registra" con estos 16 cauris o "nkobo", hace dos tiradas; no obstante, cuando las "marcas" son 8, 3 ó 10, tan sólo hace una tirada.

Hacer un "registro" con estos 16 cauris no es tarea fácil, ya que existen múltiples variantes. Cuando caen juntos cuatro cauris con la parte blanca hacia arriba, el "mpungu" que "habla" es Mama-Kéngue, y esto siempre se ha de tener en cuenta al interpretar la "letra", ya que hay que preguntar de nuevo a este "mpungu" qué es lo que quiere "decir".

Siempre que los "nkono" caen en línea recta por su parte blanca, ya sea de "izquierda" o de "derecha", indican que el "camino" es bueno. Es decir, cualquier empresa que se quiera realizar tendrá un resultado positivo.

Cuando al lanzar los "nkobo", uno de ellos cae junto a la "nganga" o en un lugar próximo a ésta, se interpreta como que "algo se reclama" (por ejemplo, un sacrificio a la "nganga" o a los "nfuiri-ntoto", una fiesta religiosa, una promesa incumplida, o una "misa espiritual" a un difunto que la necesita) a la persona que está realizando el "registro" con los "nkobo"; por ello, debe preguntar a continuación qué es lo que se reclama. En el caso de que dicho cauri caiga con la parte blanca hacia abajo, algún contratiempo o desgracia se le avecina debido a que "algo se reclama"; por ello, deberá averiguar de qué desgracia se trata, cuál es la causa que la origina, y cómo se puede evitar ("matar la letra").

Si un "nkobo" cae hacia arriba, mostrando su parte interior, se trata de una mujer; si cae hacia abajo, es un hombre. Si cae de frente al que realiza el "registro", éste recibirá una visita; si cae de punta frente a él, deberá preguntar nuevo, pues lo están abandonando en su casa.

De caer atravesado el "nkobo", anuncia que la persona que está realizando el "registro" se tropezará con un amigo, un familiar o un enemigo. En el caso de que el "nkobo" muestre al caer la parte hueca al que realiza la "consulta", el "mpungu" no está conforme.

Dos "nkobo" juntos boca abajo significan buena amistad entre dos mujeres; tres o cuatro "nkobo" en la misma posición, se refiere a hombres que andan siempre juntos y se debe preguntar qué clase de amistad les une.

Un "nkobo" boca arriba y uno o dos boca abajo montados uno sobre otro, revelan que una mujer tiene más de un amante.

Si cae un "nkobo" hacia abajo y otro o dos hacia arriba, uno sobre otro, significa que un hombre tiene más de una mujer.

Un "nkobo" encima de otro: mujeres, chismes. Uno hacia abajo sobre otro, lucha de hombres, en la que el "nkobo" que está arriba representa al hombre que quiere vencer al que representa el "nkobo" de abajo.

Tres "nkobo" hacia arriba montados unos sobre otros: diversiones entre mujeres. Invertidos los "nkobo": diversiones entre hombres, o debilidad de carácter que revela el "nkobo" que queda en el centro, y significa siempre lo peor. Puede también que ese "nkobo" que ocupa el centro representando a la persona que hace el "registro", signifique que será procesado por la justicia. En tal caso, deberá preguntar de nuevo y se interpreta la "letra" que salga a continuación muy detenidamente.

Un "nkobo" hacia abajo y dos a cada lado por la parte blanca, es un hombre al que dominan dos mujeres; de caer uno hacia arriba con dos o más a cada lado y hacia abajo: una mujer dominada por dos hombres.

Si todos los "nkobo" que presentan la parte blanca caen sobre otros que están invertidos, es un buen augurio. Como todos cuando están invertidos se interpreta como malo. Es decir, ventura cuando caen todos hacia arriba; desgracia cuando todos caen hacia abajo.

Lydia Cabrera expone (1977:43-44) de este modo las "marcas" de los "mpungu" que "hablan" en los "nkobo"; tratándose de la Regla Kimbisa del Santo Cristo del Buen Viaje, puede observarse un acentuado sincretismo religioso con los santos católicos y los "orishas" lucumís.

1) La letra mala no se lee. En este caso se recogen los nkobos y se meten en una jícara con agua. Se santiguan, y se vierte agua en la puerta de la casa; se dibujan tres cruces con manteca de corojo detrás de la puerta y se pasa una línea de un lado a otro en el piso de la puerta con manteca de corojo. Ya frescos los nkobo se ponen debajo de la jícara y se hace una invocación. Se llama al bien y se aleja al mal. Con cuatro nkobos se pregunta a Kunankisa (a la "nganga") si autoriza a que sea atendida la persona que solicita un "registro" (oráculo), y si responde que sí se da las gracias a todos los Santos.

2) Esta marca de los Ibeyi, los Jimaguas ("orishas") se extiende hasta San Pedro y Nkuyo Eleguá ("orisha"), se pide vista a Santa Lucía, a San Roque y a San Pablo.

3) San Pedro -Ogún ("orisha"), no se pide mano.

4) Santa Bárbara, los Jimaguas, algo referente a la Caridad (la Virgen de la Caridad del Cobre), más Cuatro Vientos, si hay una letra de cuatro nkobos reunidos en el centro; si esta letra sale en cualquier otra marca de Santo hay que tener en cuenta a la Merced (la Virgen de la Merced). Después de que se termine de leerla (interpretada la "letra") se invoca y se vuelve a preguntar qué es lo que dice. Esta marca es propiamente de los Jimaguas.

5. La Caridad (la Virgen de la Caridad del Cobre), Cholá (Chola-Nwengue).

6) Santa Bárbara, y se invoca a Cuatro Vientos. Se dice algo de su marca -de sus pronósticos- atendiéndose a su respuesta favorable o negativa.

7) Baluande (Madre de Agua), Lungafula, Yemayá ("orisha").

8) Las Mercedes (la Virgen de la Merced), Kéngue. No se pide mano.

9) Mariwánga. Esta marca alcanza a San Lázaro.

10) San Lázaro. Se echan tres pocos de agua en el suelo, se humedece la frente, la garganta y la nuca del consultante, si se repite si caen los nkobos en la posición correspondiente a San Lázaro. En esta letra hablan un poco Mariwánga y Cholá.

Se refrescan los nkobos, se echa agua en la puerta y se desocuparán todas las vajillas destapatas que haya en la casa.

12) Santa Bárbara. Nsasi. Hace referencia a las Mercedes (la Virgen de la Merced). Obatalá ("orisha").

13) San Lázaro. Incluye a San Pedro Sarabanda, Ogún ("orisha") y a Mariwánga-Oyá (Oyá, "orisha") y se le añade la letra de Cuatro Vientos. Mala letra.

14) Centellita (Mariwánga-Centella).

15) La Caridad (la Virgen de la Caridad del Cobre) Ochún ("orisha").

16) Nkisa (la "nganga") y a la Virgen de las Mercedes, Obatalá (Obatalá, "orisha").

Lydia Cabrera hace una descripción (1977:44-62) muy detallada de las interpretaciones de cada una de las "letras" de los "nkobos" teniendo en cuenta si son "mano derecha" o "mano izquierda". En algunos de los "nsó-nganga", y especialmente el de Noelia Martín, se han recogido testimonios sobre las interpretaciones de las 16 "letras", aunque sin la precisión y el detalle que ofrece Lydia Cabrera; por ello, se ha creído conveniente exponer a continuación, a modo de ejemplo, las interpretaciones que aporta Lydia

Cabrera a dos de las "letras": una de "mano derecha" y la otra de "mano izquierda".

3.- Itatí, Izquierda. Dice San Pedro que usted perderá el trabajo o tiene la posibilidad de perderlo si está trabajando. En ambos casos se debe de tratar de asegurar el trabajo al pie de Sarabanda (de una "nganga" de Zarabanda), porque si lo pierde le costará mucho conseguir otro.

Por causa de un individuo al que usted ha hecho un bien o se lo va a hacer, va a tener un serio disgusto con una tercera persona; la persona que recibe el favor será su peor enemigo.

Ha tenido negocios de importancia que han fracasado. No le han salido bien porque personas interesadas le han hecho traición. Una de ellas ha sido su amiga y le ha pedido dinero prestado y ha comido con él. No le proporcione trabajo a nadie sin conocer sus sentimientos, porque puede suceder que esa persona trate de quitarle el puesto. Tenga cuidado, que en el trabajo que usted desempeña le quieren traicionar haciéndolo pasar por incompetente para que fracase.

Evite disgustos y polémicas. No defienda a terceras personas ni separe a dos que se peleen, porque puede resultar que sea el más perjudicado. No use armas de ninguna clase, no suceda que en algún momento la emplee y no pueda escapar de la policía y sea condenado, pues las heridas que causará serán graves.

Si este individuo se dedica a cierta clase de negocios (ilícitos), tendrá que abandonarlos definitivamente o por algún tiempo, porque según esta marca será preso con seguridad. Tratan de destruirle su casa con hechicería o por maldad de hombre o mujer. Por infidelidad. (Si la que se consulta es mujer se le puede anunciar que su marido es, ha sido o será conquistado por otra mujer, y que está alerta porque abandonará su casa y la otra mujer triunfará).

Si es mujer quien se registra, y está en estado, que vea al médico. Que durante siete días no viaje en ferrocarril, ni salga ni monte en ningún vehículo. Hombre o mujer, se le puede decir que encontrará a una persona que le invitará a hacer algo que nunca ha hecho. Si lo hace fracasará y estará en peligro de que le den una mano de palos. A usted le gusta el bien. Ha de ver a una persona corriendo por la calle. No corra usted ni se interese en saber por qué corre. No averigüe la causa.

Si alguna persona tropieza con usted o lo insulta, siga su camino. Una persona le pedirá un favor, niéguese, no lo haga, pues proyecta hacerle mal. Cuidado, le puede ocurrir un accidente en el trabajo o en un vehículo, al subir o bajar unas escaleras. La policía entrará en su casa. En cualquier momento o en un descuido suyo, puede recibir el golpe de un objeto que le tiran a otra persona y le alcance a usted. Haga lo que se le mande hacer.

Un hombre negro le hablará de negocios o de un trabajo. Piénselo bien antes de aceptarlo. Cuidado con el dinero falso que le den o que equivocadamente usted pueda dar, porque en ambos casos tendrá disgusto o intervendrá la policía. Usted necesita de un guardiero en la puerta de su casa (San Pedro) . Traiga un cuchillo y una cadena nueva. Si usted lleva un arma encima déjela sobre Sarabanda, y cuidado con los rastros de los pies, sus medias, sus zapatos y con la puerta de su casa, así como del lugar donde trabaja, porque puede cogerlo para cualquier trabajo de hechicería y hacerle una maldad. Usted tiene que hacerse una limpieza (o "despojo", rito de purificación) con carne de cogote, darse baños con yerbas de San Pedro, rogarle a San Pedro y a Santa Bárbara y sacrificarles un gallo, pasarse dos palomas por el cuerpo ("despojo"), hacerse una prenda y procure pertenecer a la Religión (iniciarse en un "nsó-nganga" de la Regla Kimbisa del Santo Cristo del Buen Viaje). Si tiene Ogún y Eleguá ("orishas" lucumís), que lo refresque y le dé de comer (sacrifíqueles un animal).

Se le pide: una gallo para el sacrificio, dos palomas blancas para pasárselas y echarlas a volar, dos pescados frescos, manteca de corojo, pescado ahumado, maíz, coco seco, ekó, jutía, coco de agua, una botella de aguardiente, un paquete de velas, tabacos, una botella de vino seco, otra de coñac, un cuchillo, una cadena nueva y el pago de derechos (tributos).

6. Isabami. Derecha. Dice Santa Bárbara que ella lo acompaña. Los Santeros la han engañado, pero Santa Bárbara la ayuda en muchos asuntos haciéndola triunfar. Al levantarse no comunique a nadie lo que piensa hacer. Le anuncian San Francisco y Santa Bárbara que usted será víctima de una mala acción de personas rivales. Le prohiben que haga visitas y que tenga mucha gente en su casa. Le causarán serios disgustos.

Usted está pobre, pero Santa Bárbara le mandará dinero para que se remedie con algo. Use su insignia. Si alguna persona le viene a hablar mal de otra persona, no dé oído ni le conteste. Tiene dos enemigos que le combaten; son mulatos, Santa Bárbara los castigará. Si lo llaman como testigo en asunto de policía no acepte porque pasará disgustos y se buscará enemigos. Van a llevarle prendas (joyas), billetes o monedas falsas, no las acepte, no las admita. Cuidado con la candela. ¿Ha soñado con incendio, monte de palmas, guacolote (Bromis Spinosus) o con hombre o mujer vestida de rojo?. Si ha soñado es un aviso para usted o su familia. Santigüese, refresqúese y dé de comer a su cabeza porque está muy caliente (perturbada). Cuidado con los polvos malos (hechizos maléficos, brujerías). Si es mujer, un hombre que puede ser moreno la ha enamorado o la enamorará, tenga cuidado, que visita las casas de santeros y acostumbra a amarrar a las mujeres (las hechiza con "nkangue"). No mienta a su marido. Si es hombre no le pegue a su mujer. ¿Tiene usted deuda con algún Santo? Si la tiene, que la cumpla enseguida.

Para refrescar la cabeza, jabón blanco y las yerbas que coja; para darle de comer a Santa Bárbara, dos gallos indios y uno para San Pedro; una botella de aguardiente, pescado ahumado, jutía, coco, manteca de corojo, ekó, bollos, agua de coco, plátano manzano, una botella de coñac y otra de vino seco y el pago de derechos (tributos).

Oráculo del Musimba

He tratado los sistemas mas empleados en la Regla de Palo Monte en sus diferentes "ramas" los cuales son del conocimiento publico debido a su divulgación. No quiero concluir este libro sin aportar un impulso que vaya mas allá de lo conocido por el publico general.

Para quienes se interesen por estos temas, aun poco estudiados puedan seguir indagando y rescatar otras practicas adivinatorias del mayombe ya hoy en desuso o prácticamente extintas, me refiero al sistema del oráculo del musimba, a mi consideración con las pruebas que he recabado durante años de pesquisas, fue el autentico método adivinatorio del mayombe de los primeros tiempo.

Dicho oráculo he visto ejecutarlo a múltiples adivinos en diferentes pueblos bakongos a los que he frecuentado a lo largo de estos años. Ha eso me refería paginas atrás cuando consulto al profesor Fuentes Guerra sobre que: *"entre los yombe existe una expresión para escenificar la consulta con cuatro pedazos de nueces de cola que es "iama ia longo" o nchiama ia longo" lama n'longo".*

Hace ya años decidí llamarlo el oráculo de las Cuatro Partes porque como también se expresa mas arriba sobre los adivinos afrocubanos que utilizan cualquier elemento en la consulta siempre que sean cuatro, idénticamente hacen los bayombe. Ademas de lo que sin no hay ninguna dudas es de la monogénesis de la Regla de Palo Monte que es indubitada de origen bakongo y predominantemente bavili y bayombe.

El método adivinatorio de los "chamalongo" y de los "ndúngui" o "mputo" es el más común dentro del sistema de creencias del Palo Monte y hoy en día está tomada su liturgia de la Regla de Osha, a lo que hice referencia extensamente a lo largo de esta obra. Creo sin embargo, como también expresa Fuentes Guerras desde su condición de lingüista especialista en el habla Congo en Cuba que: "...La similitud entre palabras de distintas lenguas no basta para demostrar que dichos vocablos están relacionados entre sí, del mismo modo que sólo por un parecido físico no se puede determinar si dos personas tienen los mismos genotipos...". La similitud de los métodos adivinatorios de las Regla de Osha y del Palo Monte no tiene porque ser ni los mismo en su origen y mucho menos en su significado.

Es sabido que al negro bantú nunca le gusto enseñar sírvase un proverbio Congo afrocubano: *"Negro guarda maña para hacer crecer barriga blanco pierde maña por barriga".* Lo contrario del Yoruba, cuya Regla de Osha que engloba un variado numero de formas religiosas quienes eran dados a la enseñanza y a la mezcla racial dentro de sus complejo sistema ritual, el Palo Monte en general pero el mayombe en particular mantuvo por muchos años cerrado el camino a los intrusos, al mestizo e incluso al blanco.

Que utilizara el mayombero cuatro partes para ejecutar su oráculo pudo ser simplemente visto desde afuera por el neófito o incluso por practicante de otras variantes de la Regla de Palo Monte como un método similar al de los practicantes de la Regla de Osha, la navaja de Ockham, y ese hecho simple sumado a la amplia divulgación del libro de Lydia Cabrera: El Monte, considerado durante mucho tiempo como la "Biblia" del practicante criollo, y de cuya fuente han tomado investigadores, donde me incluyo, y practicantes, en los últimos 50 años como "Santo Grial", trajeron como consecuencias que se hiciera mas difícil reunir las piezas de ese extinto "sistema adivinatorio", que conocemos como Oráculo de Musimba.

Lo que si sabemos de ese sistema es que no sobrevivió en su totalidad al proceso de transculturación entre congos y otras etnias de origen no bantú ni en todas las "ramas" o variantes religiosas del Palo Monte por igual, los vestigios que podamos encontrar y sobre todo la transmisión oral sobre ese oráculo proviene en su totalidad de linajes vinculado a la variante mayombe la cual es considerada por muchos como la "rama" mas ortodoxa y pura de entre todas las que conforman la llamada Regla de Palo Monte.

¿Que es el oráculo del musimba?

Como muchos pueblos africanos, los bakongo utilizan las huellas de las pisadas de los animales como método adivinatorio, entre los bakongo particularmente el Musimba ocupa un lugar preponderante. Múltiples son las historias y cantos populares que ensalzan las virtudes místicas de este gato silvestre africano (Profelis Aurata), hay fuertes indicios de que ese sistema de interpretación llego a Cuba, por razones parcialmente desconocida, al menos para mí, se disolvió su liturgia entre las varias modificaciones que a través del tiempo sufrió el mayombe donde prevaleció en los ritos adivinatorios un sistema foráneo de origen Yoruba.

El oráculo del Musimba es método adivinatorio que consiste en la interpretación de las dieciséis formas posibles de las pisadas o huellas del Musimba. Quizás por esta razón desde siempre se utilizaron en Cuba unas conchas, que no caracoles, con machas muy similares al pelaje de este mítico gato como muestra la siguiente imagen. Cualquier mayombero afrocubano puede dar Fe de que este y no otro eran el tipo de conchas que se utilizaban para consultar los llamados "chamalongo".

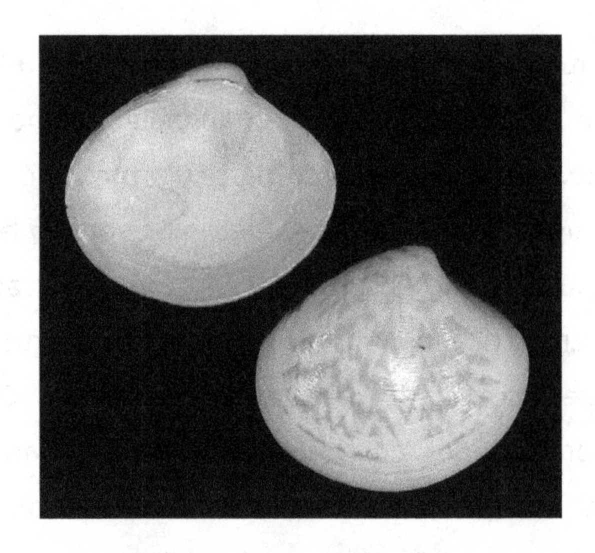

Sin lugar a duda el africano hizo uso de un principio universal de las religiones animista: La Lay de Semejanza. El cual nos dice: "Lo semejante produce efectos semejantes porque todo lo que es semejante o parecido tiene influencia reciproca". Al encontrarse impedido de acceder a su sistema original, por la ausencia de esa especie felina en Cuba, lo aplico, como lo hizo al construir la nganga y llevarse el monte a la ciudad, o cuando se ven representaciones en muchos muna-nsó habaneros de patimpembas pintadas en las paredes que sustituyen las Ceibas, Palmas y otros arboles sagrados para el mayomberos e imprescindibles en el culto,en la patimpembas introdujo. Así de simple.

Profelis Aurata (Musimba)

Igual Ley han usado los adivinos africanos actuales que habitan las zonas donde el musimba se ha extinguido o reducida su población, de eso tengo muchas vivencias.

¿Como se interpreta el oráculo del musimba?

Este método al igual que el afrocubano del "chamalongo" al estilo "Santero" que describo paginas atrás, consiste en realizar una pregunta muy clara y concisa al espíritu que se invoca y con quien se quiere "hablar" la validez de la respuesta esta intrínsecamente vinculada a la capacidad del mayombero de ser muy preciso en su pregunta, cuya respuesta resulta en una pronóstico simple de solo una palabra. Mientras está realizando la pregunta, el mayombero frota fuertemente las conchas con ambas manos. A continuación lanza las 4 conchas al aire para observar luego la posición en que han caído en el suelo, preferentemente en la tierra o sobre una esterilla. Dicha posición de las conchas en el suelo corresponde a una respuesta afirmativa o negativa que el mayombero deberá interpretar de acuerdo con la pregunta formulada.

Existen básicamente 16 respuestas que pueden ser dadas como predicción a la pregunta. Someramente hablaremos de 8 de las mas importantes "caídas", "Letras" o "huellas" como propiamente debería llamarse.

Ninguna de las huellas tiene un nombre concreto para identificarse sino que directamente nos remite a una posición del animal las predicciones de cada una de esas huellas 8 huelas serian las siguientes:

1. Musimba esta parado:

Es una huella incierta por lo que se debe formular la pregunta desde otro enfoque o con mayor precisión. No se considera ni buena ni mala ya que no hay claridad en la respuesta. Aunque muchos le atribuyen buena salud y firmesa.

2. Musimba esta saltando:

Como la anterior es una huella incierta, con la particularidad que el musimba puede estar saldando por dos razones. Una esta cazando. Dos esta muerto en este caso se toma como una huella nefasta. Es una huella delicada al punto de que consideran que solo es positiva si luego de reformular la pregunta sale la huella del musimba confiado. (imagen 5).

3. Musimba esta dormido:

Las cosas van a suceder tal cual como están sucediendo. Los hechos no van a cambiar.

4. Musimba esta soñando:

Las cosas van a suceder tal cual se están pensado, lo que se ve no es lo que resulta. Existe una diferencia entre estar dormido y estar soñando el adivino interpreta que el musimba construye mediante el sueño la realidad que queremos ver concretada.

5. Musimba esta confiado:

Esta huella se considera la mas afirmativa de todas y responde un si rotundamente. Cuando se manifiesta esta profecía es tan positivo que el adivino comienza a dar palmadas y celebrar su caída.

De las 16 huellas o respuesta del oráculo del musimba es esta posición la que asume toda la realidad positiva de lo cotidiano y la firmeza de un vaticinio certero.

6. Musimba esta en alerta:

Peligro, alerta, atención, no dice ni si ni no, pero vaticina cambios inminentes quizás la pregunta debe hacerse de varias formas porque la misma tiene diferentes respuestas.

7. Musimba camina hacia atrás:

Como bien se explica todo ira hacia atrás, involuciona o no sino que se revierte lo que es de una forma a otra. Todo cambia todo evoluciona.

8. Musimba camina hacia delante:

Para muchos es un huella certera y firme, otros la consideran la huella mas importante y de donde nacen todas las otras huellas ya que es la huella inicial.

Ejemplos de este tipos de oráculos que interactúan con animales ya sea interpretando su huella o el actuar del propio animal directamente existen por toda África para concluir este libro a modo de ejemplo encontrar el de las huellas del Zorro entre los Dogones y el del cangrejo de Rumsiki los cuales a continuación expongo.

El zorro nunca se equivoca

Cada día, al atardecer, los hombres dogon abandonan el pueblo para dibujar grandes cuadros en la arena cercana al acantilado. Para que los animales salvajes no estropeen los dibujos, rodean sus "tablas de adivinación" (yurugu goro) con ramas espinosas de acacia.

Después de limpiar la arena de piedras y ramas, proceden a peinarla para que quede bien lisa. Sobre ella primero dibujan diversas "casas". A continuación codifican sus preguntas en la arena (la salud de un niño, el estado físico de algún pariente o el éxito de una empresa) mediante líneas, surcos, montoncitos o huesos de cereza. Después pelan y machacan un puñado de cacahuetes y los dispersan sobre la tabla para atraer al zorro durante la noche. Antes de la puesta de sol, los hombres regresan al pueblo.

A continuación murmuran palabras para que el zorro pueda asociar el futuro con el presente. A la mañana siguiente, bien temprano, con frecuencia antes del alba, los hombres regresan a las marcas en la arena y estudian las noticias dejadas por el zorro.

Cada huella tiene un significado especial: si voltea un tallo de mijo, la señal es de enfermedad o muerte; si corre hacia adelante y luego hacia atrás, la empresa tendrá un buen inicio, pero un mal final. El zorro nunca se equivoca; si sus previsiones no se cumplen, es señal de que el hombre las ha interpretado mal. Si sus respuestas son ambiguas, el hombre pide a una o dos personas más, vecinos o amigos, que planteen la misma pregunta. Si las respuestas coinciden, el hombre tendrá finalmente la certeza.

Los objetos y animales utilizados para el oráculo suelen derivar su significado de la mitología y del simbolismo tradicional. Los dogon han dado a su oráculo el nombre de una deidad tramposa (que puede aparecer de muchas formas distintas), el zorro de grandes orejas, Yurugu. El animal nocturno deja sus huellas sobre la arena del suelo y éstas pueden ser "leídas" e interpretadas al día siguiente.

Otro ejemplo clásico es la adivinación utilizando, lagartijas, arañas, ratones etc., en este caso les transcribo el oráculo del cangrejo de Camerún.

El brujo del cangrejo de Rumsiki

Se le llama "brujo del cangrejo" porque utiliza a uno de estos animalitos para realizar las adivinaciones.

El cangrejo proviene de un río que hay en un valle cercano, y cada dos años aproximadamente tiene que renovarlo. Me llamó la atención ver que no es un cangrejo de río como los que aquí, si no que por su forma parece traído de una playa, pero estamos a cientos de kilómetros del mar así que...

Primero prepara una tinaja llena de arena húmeda, en la que va clavando trozos de cerámica. Cada trozo representa una cosa: el universo, la Tierra, el continente del que venimos, Africa, Camerún, Extremo Norte de Camerún, Rumshiki, el punto en el que nos encontramos (el patio de la casa donde vive este señor).

Dicho todo esto y algunas fórmulas mágicas, deposita al cangrejo dentro y tapa todo con la mitad de otra tinaja. Hay que esperar en silencio unos minutos, después de otra retaíla de palabras mágicas, y después levanta la tinaja y el bicho (lógicamente) trata de escapar. Justo cuando está a punto de caer al suelo el hombre lo coge y formula el resultado de la consulta.

Sumario